D1630206

MARDI-GRAS

Les Aventures de Rémi Gauthier

dans la même série :

Le Programme assassin
La Diva et le diamant
La bombe

22, rue Huyghens, 75014 Paris

ISBN : 2.226.03056.5

IRINA DROZD

MARDI-GRAS

Illustrations de Hervé Guitton

ALBIN POCHE

L'ALTERNATIVE

Muriel Angelini poussa un léger soupir.

Un rhume pernicieux commençait à la gêner un peu et elle ne se sentait pas vraiment d'attaque pour assurer les derniers cours avant les vacances de février.

D'ailleurs, elle n'avait jamais apprécié ces deux heures du vendredi après-midi.

C'était son premier poste en tant que professeur, et on lui avait collé les deux heures qui restaient pour la classe de cinquième.

Elle n'aurait jamais cru arriver à intéresser les enfants aux belles-lettres juste avant le week-end.

Et surtout pas au français et à la grammaire.

Pourtant, la classe était assez disciplinée dans son ensemble, malgré quelques chahuts sporadiques, et finalement les cours s'étaient mieux passés qu'elle ne l'avait redouté.

Son mari avait beau lui répéter que si ça se passait aussi bien avec les gamins, c'était parce qu'elle avait su les captiver, notamment en lançant une activité théâtre, qui avait remporté un vif succès parmi ses élèves, Muriel en convenait difficilement.

Elle avait toujours été d'une modestie excessive, parfois crispante pour ses amis.

Et d'une grande timidité.

Ce qui ne l'avait pas empêchée de monter sur les planches en tant que comédienne semi-professionnelle pendant ses études, et de devenir ensuite un professeur capable de se faire respecter par ses élèves. Elle considéra attentivement les gamins penchés studieusement sur leurs copies.

Une dictée et des questions de grammaire une semaine avant les vacances, c'était bien.

Elle pourrait rendre les devoirs le mardi, mais le vendredi...

Pour Noël, elle avait organisé un après-midi théâtral, parce que c'était la fête du lycée.

Après tout, elle était libre d'organiser ses cours comme elle le désirait.

Et vraiment, ce dernier vendredi lui pesait.

Elle jeta un coup d'œil à sa montre.

Presque seize heures.

– Il vous reste un peu moins de dix minutes.

Quelques soupirs furent poussés.

Un élève se leva et lui rendit sa copie.

– Tu es sûr de toi ?

Altaïr Duchamp lui sourit malicieusement.

– Comme d'habitude.

Il avait prononcé cela à voix assez haute.

Les soupirs s'amplifièrent dans la classe.

Altaïr s'était définitivement octroyé la première place en français, depuis toujours, et personne n'avait jamais pu l'en déloger.

Muriel Angelini éprouvait un petit faible pour ce garçon qui déclinait adroitement le subjonctif du verbe pleuvoir, et était un habitué du « sans-faute » en dictée.

Et qui en vérité trouvait ça parfaitement normal.

– Eh bien, tu pourras ramasser les copies de tes petits camarades, dans un peu moins de cinq minutes.

Le concert de soupirs s'éleva à nouveau.

Mais cette fois, les soupirs étaient particulièrement appuyés. Toute la classe s'était mise au diapason.

Muriel réprima un petit rire.

– J'espère que votre ensemble est tout aussi parfait en solfège... Bon. Altaïr, tu peux ramasser.

Quelques stylos grincèrent hâtivement, alors que le jeune garçon allait vers ceux qui lui tendaient leurs feuilles.

– Vendu, marmonna Lionel Chauviré en faisant un clin d'œil à Altaïr.

Bientôt les copies se retrouvèrent sur le bureau de Muriel.

L'heure de la sortie approchait.

– Qu'est-ce que vous penseriez de...

Muriel se tut brusquement.

Elle avait failli proposer une sortie cinéma pour le dernier cours, mais elle se ravisa.

Ce qui était intéressant dans ces sorties, c'était de discuter du film après.

Elle avait exactement trente secondes pour inventer une alternative intéressante pour elle et pour les gamins.

Et brusquement l'idée lui vint.

C'était la semaine du Mardi gras.

Autant en profiter.

– Qu'est-ce que vous penseriez d'une petite fête vendredi prochain ? Et costumée... avec pour thème... vos héros préférés ou, en tout cas, les personnages que vous aimez bien. Alors ?

Des commentaires plus ou moins enthousiastes s'élevèrent.

– Se déguiser, c'est bon pour les mômes !

– Ça pourrait être marrant.

– On peut choisir qui on veut ?

– Chiche !

– Moi, je sais en quoi je vais être !

– En tout cas, moi, je sors pas déguisé dans les rues, je m'habille ici...

Muriel toussota, pour faire remarquer qu'elle était encore là, et que personne n'avait vraiment répondu à sa question.

– Bon, alors ? Ça vous dit ? je fournis le Coca.

Il y eut un petit silence.

Rémi Gauthier se fit le porte-parole de la classe.

– C'est une idée super sympa. Ça marche.

– Je ferai un gâteau au chocolat, proposa Viviane Duchamp.

– Et moi une tarte au citron !

– Moi, je pourrais… acheter des cookies.

La sonnerie annonçant la fin du cours couvrit les voix joyeuses des enfants.

Ils s'empressèrent de ranger leurs affaires et sortirent après avoir répété à Muriel que son idée leur plaisait bien.

Une fois le dernier élève sorti, Muriel Angelini essuya le tableau, rangea son cartable et quitta la classe à son tour. Assez satisfaite d'elle-même.

Pour une fois, elle était vraiment persuadée d'avoir eu une excellente idée.

Elle ne pouvait pas se douter que cela allait déclencher une série de meurtres.

CARNAVAL

C'est pas pour dire, mais il y a vraiment des abrutis !

Bon, d'accord, ce n'est pas forcément marrant de se recevoir une poignée de farine en pleine pomme, mais ce n'est tout de même pas une raison pour se venger méchamment en renvoyant du sable humide. La plupart des gens se contentaient de hausser les épaules d'un air agacé, ou au pire de nous traiter de sales gosses.

Heureusement, la majorité nous gratifiait d'un grand sourire un peu complice et nostalgique tout en s'époussetant, et puis il y avait aussi ceux qui éclataient de rire.

Bref, pas trop d'agressivité dans tout ça.

Au fond, on devait distraire les passants.

On n'est pas tous les jours Mardi gras.

En vérité, on ne l'était pas du tout puisque nous étions vendredi.

Mais bon, on ne va pas s'embarrasser de détails matériels.

En tout cas, on ne voit pas souvent des gamins déguisés déambuler dans les rues de Paris.

Alors, on a eu droit à des regards curieux, admiratifs ou amusés.

Faut dire qu'on y a mis le paquet.

A la vérité, c'est Viviane qui en a eu l'idée.

On était tranquillement à papoter entre deux gorgées de Coca et une bouchée de gâteau, tout près de la fenêtre de la classe.

On potinait allégrement sur les profs et les copains, et Viviane, le front contre la vitre, contemplait le ciel d'un bleu intense, rare à Paris en général, et en particulier au mois de février.

– Et si on se baladait ?

Altaïr avait regardé sa sœur d'un air incrédule.

– Comme ça ?!?

Il lui avait montré son vêtement de Sherlock Holmes.

– Ben oui. Pourquoi pas ?

– Pas question ! C'est pour les mômes, ça !

Il avait essayé par les moyens les plus sournois de la faire changer d'avis, arguant malhonnêtement qu'elle risquait de prendre froid, habillée en Colombine.

Mais rien n'y avait fait.

Viv' tenait à son idée et à sa promenade.

D'ailleurs nous étions quelques-uns à trouver ça marrant.

Alors Altaïr s'était rendu.

Et avait fait presque sienne l'idée de sa sœur jumelle.

– On devrait trouver de la farine.

– Chiche !

– Zut ! Où ?

– A la cuisine... Mme Paulette va pas nous refuser ça...

On s'était tous tournés vers Lionel.

Mme Paulette, la digne personne qui avait en charge le réfectoire avouait une préférence marquée pour Lionel, et on avait intérêt à s'installer à côté de lui si on voulait être sûr d'avoir un rab de frites.

– Tu y vas ? avait demandé Flavien.

Lionel n'avait même pas pris le temps de répondre et avait filé en direction de la cuisine.

Et c'est comme ça que nous nous sommes retrouvés sept à arpenter les rues du cinquième arrondissement. Après avoir pris congé de notre chère professeur de français qui avait si gentiment organisé la petite fête de la classe. A part sa gentillesse, je crois que l'idée de faire les deux dernières heures de cours avec nous juste avant les vacances de printemps a dû la terroriser.

D'où sa proposition de transformer un après-midi qui promettait d'être fastidieux en « bal » costumé.

Banalement, j'ai revêtu l'habit de Pierrot.

Pas vraiment banalement, d'ailleurs.

J'aime bien Pierrot.

Et puis, Viviane s'est transformée en Colombine.

Altaïr en Sherlock Holmes, avec chapeau et pipe – que j'ai empruntée illicitement à Papa pour lui –, obtient lui aussi pas mal de succès auprès des passants.

Hormis nous trois, Scapin, Jim Hawkins, la princesse Léia et la dame Galadriel composent notre éphémère « Clan des Sept ». Le reste de la classe ayant préféré continuer à se goinfrer de gâteaux et s'abreuver de Coca-Cola.

Faut dire qu'on s'est franchement amusés.

Entre autres en chantant l'intégrale de notre répertoire de vieilles chansons françaises. Des *Marches du palais* à *La Claire Fontaine,* en passant par *Brave marin,* tout ce que nous savions y est passé.

Ça aurait fait la fierté de notre prof de musique.

Nous étions tellement pris par notre jeu de chorale improvisée que nous en avons souvent oublié d'asperger les passants avec la farine que nous avions répartie dans de petits sacs.

On en avait quand même largué une bonne partie sans trop de réactions vengeresses de la part de nos victimes.

Sauf celle d'un monsieur qui avait jeté une poignée de sable humidifié par la pluie des jours précédents au visage d'Altaïr, en l'insultant copieusement parce que mon ami avait osé tacher son costume de fine poudre blanche.

Altaïr, surpris par la violence de l'attaque avait failli répondre et je crois que, sur un seul geste de lui, le type aurait été complètement enfariné.

Nous étions prêts à vider nos munitions sur lui.

Mais, s'étant repris, Altaïr avait simplement essuyé son visage en nous faisant signe que ce n'était pas grave, et avait eu un sourire méprisant vers l'homme qui s'était éloigné rapidement en nous lançant des regards furieux.

– Pauvre mec, avait murmuré Altaïr à voix basse, empêchant nos commentaires indignés.

– C'est pas le genre de mec à qui on peut demander s'il n'a rien contre la jeunesse. Il répondrait avec un flingue ! avait constaté Flavien.

– En tout cas, vaut mieux éviter de balancer de la farine quand on passe près d'un tas de sable... D'ailleurs, je me demande ce qu'il fout là... On trouve de tout dans les rues de nos jours ! avait essayé de plaisanter Viviane, en embrassant la joue meurtrie de son frère.

– Oh ! je crois que je préfère encore du sable à son poing. C'est vrai, je suis sûr qu'il m'aurait filé une baffe si j'avais râlé ou quoi... Il m'a lancé un de ces regards noirs... Mais bon, on va pas s'emmerder l'existence à cause d'un connard... Pas question de rentrer sans avoir complètement vidé nos sacs ! A l'attaque !...

Par bonheur, les autres passants se sont

plutôt montrés indulgents et amicaux face à nos saupoudrages.

Et nous en avons pratiquement oublié le vilain fâcheux.

Surtout moi.

On s'est raccompagnés les uns les autres, en se souhaitant de bonnes vacances, en particulier aux veinards qui partaient faire du ski, et Altaïr, Viv' et moi, nous sommes rentrés ensemble.

Parce qu'on habite assez près les uns des autres.

Eux sont tout en bas de la rue de la Clef, et moi en face de la caserne de la place Monge.

Comme on est passés par Mouffetard pour raccompagner Émilie, rue de l'Arbalète, j'ai accompagné Altaïr et Viv' jusque devant leur porte.

– Tu vas pas trop flipper de rentrer tout seul en Pierrot ?

Je jette un regard méprisant à Altaïr.

– Pff ! La bave du crapaud n'atteint pas la blanche colombe, et les sarcasmes des abrutis ne touchent pas les cœurs purs des pierrots.

– T'as trouvé ça où ?

J'allais lui répondre quand Viviane m'a doucement entraîné à un mètre plus loin et m'a fait cadeau d'un baiser très doux pour me remercier d'avoir choisi Pierrot.

En vérité, j'avais primitivement projeté de me déguiser en Atreyu, assez facile à faire, mais quand Viviane m'a fait part de son choix à elle, je n'ai pu faire autrement qu'abandonner le petit Indien. Viv' a un cœur indéfectiblement romantique qui lui fait préférer les classiques aux héros périssables des dessins animés japonais.

Alors, je suis devenu, très romantiquement, Pierrot.

Ce qui me donnait une jolie occasion de me déclarer auprès de Viv'. Et le message a été reçu cinq sur cinq.

Quand nous nous sommes séparés, j'ai entendu la voix moqueuse d'Altaïr.

– Hé ! Fais gaffe ! Les nuages roses, ça ne protège quand même pas les pierrots quand ils traversent n'importe comment !

Je me sentais trop heureux pour lui répondre.

J'AI ACCOMPAGNÉ ALTAÏR ET VIV
JUSQUE DEVANT LEUR PORTE.

ALTAÏR

– Ah bon ! Alors, Radio-Marmotte, maintenant tu t'en fiches, et de mon émission aussi ?

– Non... Non. Pas du tout. Tu le sais bien. Mais je te jure que cet après-midi, c'est absolument impossible. C'est le dernier jour des vacances et j'ai envie de rester avec Viv'.

François me lance un regard empreint d'une profonde commisération.

– Tu sais, mon petit vieux, l'amour, ça ne te réussit pas.

– Hé ! Tu ne vas pas jouer au grand frère, non ?

– Je peux, quand même ! J'ai huit ans de plus que toi ! Et tu n'es qu'un sale môme et un sale lâcheur !

– Eh ben, ton opinion de vieux, je m'en tamponne ! Et de ton émission aussi par la même occasion. Tu peux très bien la faire sans moi !

– Tu me l'avais promis, rétorque sèchement François.

Alors là, il exagère !

– Moi ? Quand ?

– Quand je t'en ai parlé, il y a deux semaines. Merde ! Tu ne t'en souviens plus ? C'était le soir où tu m'avais aidé à préparer la bouffe. Tu étais de corvée de patates.

J'essaie de me souvenir.

Bon, à la maison, tout le monde participe aux corvées ménagères, et chacun fait la cuisine à son tour. Par égard pour mon jeune âge, mon tour de cuistot revient un peu moins souvent que pour les autres, ce qui en contrepartie m'oblige parfois à servir de boy. C'était le cas le jour où François s'est mis en tête de faire un gratin dauphinois – fort bon au demeurant – et m'a transformé en épluche-légumes.

Je me remémore à mon grand désespoir qu'il m'avait longuement entretenu de son émission pendant que je m'escrimais sur ces foutues pommes de terre.

Je lui avais en effet juré d'intervenir en direct dans son émission.

Mais, à ce moment, j'étais libre comme l'air...

Viviane et moi, ce n'était pas encore commencé.

Je tente d'apitoyer mon frère.

Sans trop d'espoir, parce que dès qu'il s'agit de sa radio libre, François devient d'un professionnalisme impitoyable.

– Bon... bon, O.K... Tu as raison, mais... tu devais me prévenir plus tôt et... Tu peux pas déplacer la date de ton émission ? Écoute, lundi, c'est le lycée et… Viv' et ses parents partent en week-end… et… Mais je suis pas si important pour ton émission…

– Ça va, ça va, n'en rajoute pas, tu vas me faire pleurer. Écoute, c'est pas si dramatique que ça… au fond, j'ai pas vraiment besoin de toi cet après-midi… Mais il faut absolument que tu participes à l'émission ce soir… Tu ne crois pas que moi, j'ai parfois envie de rester avec Edmée, plutôt que la quitter pour aller à la radio ?

Je hausse les épaules, pas franchement convaincu.

– C'est TA radio. Tu aimes bien ce que tu y fais… beaucoup, même.

– Tu as raison… Mais je t'assure que j'ai besoin de toi. Tu ne vas quand même pas rester avec Viviane jusqu'à des heures indues…

– Non… non, mais après on devait se faire une toile avec Altaïr.

François pousse un profond soupir.

Je ne suis pas vraiment ravi, mais j'avais promis.

Et une promesse, c'est sacré.

– Bon… Tu as besoin de moi à quelle heure ?

Le visage de François s'éclaire.

Je suis sûr que le salaud avait douté de moi.

Il devrait le savoir pourtant que je suis assez con pour respecter ma parole.

– A six heures. L'émission commence à la

demie, mais, faudra que je te mette un peu au parfum de ce qui se sera dit dans les précédentes. Je n'ai pas eu trop l'occasion de t'en parler. Faut croire que Viv' vaut tous les ordinateurs du monde et toutes les émissions sur l'informatique que je peux réaliser... ça n'a pas toujours été comme ça.

Je m'en veux de rougir.

Comme je ne moufte pas, François reprend le fil de son discours.

– De toute façon, tu n'auras qu'à répondre aux questions qu'on te posera sur ton club... Remarque, Viviane et Altaïr n'ont qu'à venir avec toi. Une émission radio, c'est aussi bien qu'un film, surtout si elle est en direct...

– Mouais...

– Après je vous offre un hamburger, d'acc ?

– D'acc.

– Alors, je compte sur toi ?

– Oui... hélas.

François me tapote la joue d'un air attendri, ce qui lui arrive dans les grandes occasions.

– T'es un chic type, petit frère.

– Fayot !

Il éclate de rire et enfile son blouson.

– Tu veux que je te dépose chez Viviane ?

– Ça, c'est un truc pour me parler de l'émission !

– Oui, mais c'est aussi un service que je peux te rendre.

– Si ta chère 2 CV démarre.

– Seccotine ne me trahira pas !

– O.K. A cause de toi, je commençais à être en retard.

François m'enveloppe gaillardement les épaules.

– En piste, mecton !

***

Que les heures ont été douces à se promener tendrement sous le regard de pierre des dames du Luxembourg, à échanger de brusques fous rires, à parler d'un tas de choses sans importance pour le plaisir de s'écouter.

Je suis amoureux, et ça me fait tout drôle.

Surtout parce que c'est Viviane.

Pendant des années, elle n'a été, et c'est déjà beaucoup, que la sœur d'Altaïr.

Ils sont jumeaux, et Altaïr, Viv' et moi, nous avons toujours été dans la même classe à partir du moment où nous n'avons plus eu besoin de nos couches-culottes. Nous avons toujours formé un trio inséparable. Alors, quand le temps est venu des premières amours, nous avons échangé nos confidences... jusqu'au jour où je me suis aperçu que j'étais jaloux des petits copains de Viviane. Et puis, il y a eu la petite fête du lycée et Pierrot... Et Viv' qui m'avait soufflé au creux de l'oreille que si je ne m'étais pas habillé ainsi, elle m'aurait massacré.

Parce qu'elle, c'étaient mes petites amies qui l'agaçaient.

– On ne va pas être en retard si on attend Altaïr ?

– Mais non... On a rendez-vous à cinq heures, et on doit être à la radio à six. C'est pas si loin.

Viviane hoche doucement la tête, ce qui fait joliment bouger ses boucles brunes.

Parfois, je trouve qu'elle ressemble un peu à Edmée, l'amie de François.

– Au fond... ça a dû te faire drôle de retrouver le club, et Falkor...

– Oh !... assez, oui... Mais juste au début de l'année, quand j'ai repris... Après... après, c'était comme avant. Mais sans Mo'. Enfin, Maurice.

C'est vrai que ç'avait été assez difficile de retourner à mon club de micro, parce que j'avais manqué y mourir, et que Maurice, le président du club, avait failli justement être mon assassin*. Je ne voulais plus entendre parler d'informatique après tout ça, mais j'avais quand même le virus de la puce, et, encouragé par les parents, j'avais réintégré le club... Au fond, malgré les difficultés du début, j'étais bien content de retrouver Falkor, mon ordinateur, et aussi Serge..., le frère de Mo'. En tout cas, c'est à cause de ça que je me suis fait piéger par François. Si c'est à cause d'une de ses émissions sur l'informatique que j'ai failli me faire buter, ça ne l'a pas empêché d'en refaire une autre série. En particulier sur

* Cf. *Le Programme assassin.*

les clubs de micro de Paris et de la région parisienne. Il m'a expliqué que, ce soir, c'était la dernière de la série, et qu'il terminait par une heure consacrée aux questions en direct des auditeurs. Le tout avec deux intervenants. Un président et un membre d'un club qu'il avait sous la main, c'est-à-dire, respectivement Serge et moi.

Viviane jette un coup d'œil inquiet à sa montre.

– C'est cinq heures dix... Tu es sûr de lui avoir donné rendez-vous à cette entrée ?

– Mais oui... Il a dû flâner en route.

Viviane se serre un peu contre moi.

Je la sens tendue.

Altaïr est la ponctualité faite être humain.

Il est toujours à l'heure pour un rancard, à la seconde près.

J'essaie de me rappeler.

Je lui ai peut-être mal indiqué le lieu de notre rendez-vous ?

Non.

On s'était bien mis d'accord sur l'entrée qui donne sur le boulevard Saint-Michel.

Altaïr ne se serait pas trompé.

Qu'est-ce qu'il fiche ?

***

Altaïr jura, mais un peu tard, qu'on ne l'y reprendrait plus. Cette idée stupide d'aller à la FNAC un vendredi après-midi !

Mais bon, ils allaient chez Grand-Mère ce

week-end, pour fêter son anniversaire, et Viv' et lui avaient économisé sur leur argent de poche de quoi lui offrir un disque des Valses de Vienne.

Et ce n'était pas n'importe lequel, car Mamie avait un chef d'orchestre préféré ; alors, après avoir essayé les disquaires de hasard, il avait bien fallu admettre que s'il y avait une chance de trouver ce fichu disque, c'était à la FNAC.

Altaïr, sachant que Rémi et sa sœur avaient décidé de passer l'après-midi au jardin du Luxembourg, s'était généreusement dévoué pour la corvée FNAC.

Lui qui avait horreur de la foule, il en avait eu son compte.

Par bonheur, il ne repartait pas les mains vides.

Il avait trouvé le fameux disque.

Il n'aurait pas supporté de revenir sans lui.

Pour rejoindre le jardin du Luxembourg, où il avait rendez-vous avec Rémi et Viv', Altaïr avait hésité sur le chemin à prendre.

Il pouvait le contourner, ou le traverser.

Le plus simple étant naturellement de le traverser.

Marcheur acharné, Altaïr n'avait même pas pensé qu'il aurait pu prendre le métro ou le bus.

Il réfléchit quelques secondes sur l'itinéraire le plus simple.

Il avait un bon quart d'heure devant lui, alors il décida d'arriver au plus vite au Jardin, et d'y flâner un peu.

La journée était belle, et, après la cohue de la FNAC, il aspirait au calme du Jardin.

Il remonta tranquillement la rue de Rennes vers le métro Saint-Placide, traversa, s'engagea dans la rue Notre-Dame-des-Champs et bifurqua dans la rue de Fleurus.

C'est à ce moment qu'il eut la certitude d'être suivi.

Comme il n'était pas particulièrement pressé, il avait profité de sa balade pour faire un peu de lèche-vitrines.

Sa gourmandise le faisant ralentir surtout devant les pâtisseries. Au bout de quelques ralentissements, il avait remarqué qu'un homme devait certainement avoir les mêmes affinités gourmandes que lui car il s'arrêtait au même rythme.

Altaïr s'était d'abord dit que tout le monde avait le droit de marcher dans les rues, et de modérer son allure en passant devant une devanture spécialement appétissante, et puis il avait quand même trouvé que l'inconnu calquait un peu trop sa démarche sur la sienne. Le cœur battant un peu plus rapidement qu'il ne l'aurait voulu, Altaïr avait décidé de vérifier s'il était vraiment suivi, ou si ce n'était que son imagination qui battait la campagne.

Il s'était arrêté un peu n'importe où, devant une porte, un arrêt de bus, un magasin de vêtements... et chaque fois son suiveur avait ralenti.

Et il avait lui aussi tourné, rue de Fleurus, gardant assez de distance entre lui et Altaïr pour qu'il fût impossible de le reconnaître. Altaïr pensa un instant que cela pourrait être une blague de la part d'un ami de ses parents, puis se ravisa.

Les amis de ses parents ne s'amuseraient pas à des jeux aussi stupides.

Il avait instinctivement serré le précieux disque contre lui.

Il n'y avait pas de quoi paniquer.

Il était un peu moins de cinq heures du soir.

Il faisait encore grand jour.

Et il était en plein Paris.

Alors, ce n'était vraiment pas la peine de s'affoler.

Cependant, ce n'était pas non plus la peine de laisser ce type le suivre.

Il allait voir ce qu'il allait voir !

Altaïr accéléra rapidement, et remonta brusquement le boulevard Raspail.

***

– Mais c'est presque cinq heures et quart ! Il a jamais été en retard comme ça... ni autrement d'ailleurs...

Viviane se mordille les lèvres d'un air anxieux,

et j'avoue que je ne suis pas loin de me laisser gagner par son inquiétude.

J'essaie de me maîtriser.

Les accidents de la circulation ne sont quand même pas l'unique raison qui peut retarder mon ami.

Il n'y a pas que des chauffards à Paris.

Il y a aussi le copain qu'on rencontre par hasard et qui ne décramponne pas.

Il y a aussi la B.D. ou le bouquin dont on ne sort plus.

Et puis peut-être qu'Altaïr n'a pas trouvé le disque et le cherche encore.

Ou peut-être que, se croyant en retard, il a pris un bus, et qu'il est coincé dans les embouteillages.

Il déteste le métro encore plus que moi.

Je n'ai pas le temps de m'aventurer dans d'autres hypothèses.

Altaïr arrive vers nous au grand galop, de l'intérieur du Jardin.

– Salut ! Désolé d'être en retard, mais... c'est marrant... enfin, non, pas vraiment... c'est la première fois que ça m'arrive... Euh... je me suis fait suivre par un mec. J'ai mis un temps fou à le semer.

– Et les flics, alors, ça sert à quoi ? lance Viviane d'une voix tremblante.

– Les flics qui sont là quand il faut, c'est à la fin des polars qu'on les trouve, pas dans la vie, philosophe Altaïr.

Il exhibe fièrement une pochette de disque qu'il extirpe d'un sac FNAC.

– Ne t'inquiète pas, de toute façon, je l'ai semé, alors... Reluque plutôt le disque ! Mamie va être supercontente... Vous avez décidé pour le film ?

– Changement de programme, mon vieux. J'avais oublié que j'avais promis à François de participer à une émission sur Radio-Marmotte. Après, il nous invite pour un hamburger... Comme les parents sont de sortie et qu'il n'a pas envie de faire à bouffer...

– Je vois... C'est à quelle heure, ton émission ?

– Ben, faut qu'on soit à la radio à six heures.

– Houlà ! Faudrait peut-être qu'on s'active... Hé... tu crois que François se laisserait séduire par une salade ou une pizza ? Moi, tu sais, les burgers...

De tous mes copains ou amis, Altaïr est le seul qui ne met jamais les pieds dans un fast-food.

– Sûr. Sans problème... Tant qu'à faire... On pourrait aller à la crêperie de la rue Mouffetard. Ça te dit ?

– Impeccable ! Je... Oh ! merde ! j'ai quand même pétoché !

– Ce type..., commence doucement Viviane.

Altaïr secoue la tête.

– Ça va... C'est fini maintenant... Et puis, je me suis peut-être fait du cinéma... Bon, on y va ? Je doute que François apprécie si on est en retard...

Et Altaïr nous entraîne gaiement par le bras.

Je crois bien qu'il n'est pas si rassuré qu'il le prétend, et que c'est maintenant qu'il nous fait du cinéma... Il ne veut pas inquiéter Viviane... ni moi.

Alors, on se force un peu tous les trois, et, affichant un entrain de bon aloi, nous allons gaillardement au local de Radio-Marmotte.

LIONEL

Exceptionnellement, le beau temps s'était maintenu jusqu'après la reprise des cours.

Si ceux qui avaient pu partir au ski étaient revenus le visage bronzé, et des histoires plein la bouche, ceux qui étaient restés à Paris n'avaient pas été trop jaloux de leurs bonnes mines. Un Paris ensoleillé au climat miraculeusement doux en cette saison leur avait permis de profiter des rues et des parcs.

Lionel surtout s'était promené tout son saoul.

Il aimait la verdure par-dessus tout, et, pendant que ses amis s'enfermaient dans les salles de cinéma, il se baladait, le nez au soleil, dans les jardins de Paris.

Il les connaissait tous.

Il savait le moindre recoin du parc Montsouris, la plus petite allée du parc Monceau, le plus frêle des arbustes des Buttes-Chaumont. Il habitait dans la rue Maurel, presque au coin de la rue Buffon, et, à chaque fois qu'il le pouvait, passait par le Jardin des Plantes. C'était son préféré, celui qu'il aimait par-dessus tous les autres, à cause du coin « sauvage », où les arbres et fourrés semblaient croître en toute liberté.

Ce jeudi-là, le ciel était d'un bleu particulièrement limpide, et Lionel avait eu envie de traîner un peu avant de rentrer chez lui. Après avoir discuté un moment avec ses camarades de classe, il les avait laissés à leurs papotages et avait quitté le lycée.

Il avait rejoint la place de la Contrescarpe, puis avait suivi la rue Lacépède jusqu'à l'entrée du Jardin des Plantes.

A aucun moment, il ne s'était aperçu qu'il était suivi.

L'homme qui le pistait discrètement l'avait pris en chasse à la Contrescarpe.

En réalité, c'était simplement le hasard qui avait fait se rencontrer Lionel et son suiveur.

Rencontrer n'étant pas le terme exact.

L'homme n'avait nullement l'intention de rencontrer réellement le petit garçon, dont il ignorait le nom.

Il l'avait croisé place de la Contrescarpe, et avait décidé de le suivre.

Remerciant la chance de l'avoir mis en présence du gamin.

De ce gamin-là, justement.

L'homme avait esquissé un sourire de satisfaction en voyant l'enfant entrer dans le Jardin des Plantes, certain de passer inaperçu parmi les promeneurs.

Cette fois, la filature était aisée.

Le gosse, visiblement perdu dans ses pensées, ne lui prêtait aucune attention.

Au fond, l'homme ne savait pas trop quoi faire.

Il ne savait pas encore.

Sans le vouloir, Lionel lui indiqua la voie à suivre en baguenaudant tranquillement dans les allées.

Lionel n'était pas très pressé de rentrer chez lui.

Il n'avait pas de devoirs à faire pour le lendemain, et ses parents rentraient un peu plus tard de leur travail.

Il n'avait simplement pas envie de se retrouver seul dans l'appartement.

Il regretta le temps, pas si lointain, où son frère était généralement là pour l'accueillir d'une boutade ou d'un mauvais jeu de mots.

Le lycée, Alain s'en passait aisément et il avait préféré faire son service militaire avant de poursuivre ses études. Il avait eu son bac – par miracle, d'après ses professeurs – et ne savait pas trop quoi faire, alors, il était parti.

Dans le Midi, à la base d'Istres, parce qu'il voulait piloter des avions, et qu'il en avait les capacités.

Alors, son départ avait fait beaucoup de vide.

Et Lionel, qui souvent avait cru détester ce grand frère qui se moquait si volontiers de son amour pour les fleurs et les plantes, s'était rendu compte qu'il l'aimait beaucoup.

Lionel s'était engagé dans le coin sauvage du Jardin des Plantes. Petit à petit, le jardin s'était dépeuplé.

On approchait de l'heure de fermeture.

Il ne restait plus que quelques promeneurs s'acheminant vers les sorties, Lionel qui s'attardait parmi les arbres… et puis aussi des gardiens qui veillaient à ce que le parc fût vide quand ils fermeraient les grilles.

***

– Rémi ?

– Oui, M'man ?

– Bernard voudrait te parler.

Dès que Maman a parlé, j'ai levé la tête de la splendide collection de timbres de Papa.

Je ne me lasse pas de l'admirer.

Et Papa, quand il oublie qu'il est dentiste, me raconte plein d'histoires de timbres.

La voix de Maman est anormalement grave.

Bernard Brunaud, commissaire de son état, et grand ami de la famille, nous téléphone de temps en temps, et jamais Maman n'a pris un air aussi catastrophé pour m'annoncer un coup de fil de sa part.

C'est pourtant elle qui est la plus rapide à décrocher le téléphone, enfin, celle qui en a le moins la flemme, et ça ne la met quand même pas dans cet état à chaque fois.

Je m'extirpe péniblement du fauteuil dans lequel je m'étais profondément vautré.

– Ben, qu'est-ce qu'il y a ? Il s'est fait virer de la police ou quoi ? T'en fais une tête !

– Il... il te le dira.

Maman détourne les yeux pour éviter mon regard.

Ça ne me plaît pas du tout.

Je me dirige vers l'entrée, où se trouve le téléphone mural, dernier gadget importé par François.

Mon frère sort d'ailleurs de sa chambre en lançant une bordée d'injures.

– J'en ai marre, bordel ! J'en ai marre ! Je jure de larguer la fac et de ne plus jamais passer de partiels de ma vie ! D'abord, pour ce que j'en ai à foutre de la philo ! Et puis...

Il se rend compte que quelque chose ne va pas et stoppe net son véhément discours.

– Ben... qu'est-ce qu'il y a ? La guerre atomique est déclarée ou quoi ?

– Non, idiot, c'est Bernard qui veut parler à Rémi, au téléphone.

– Ah bon !... à voir vos têtes, ça a l'air de vous faire plaisir ! Je vais mettre les infos, ça nous distraira !

– Non ! Attends !... Va répondre, Rémi.

J'ai le cœur qui s'emballe et je n'arrive même pas à faire un pas. François nous regarde avec un air d'étonnement qui me flanque la pétoche.

Il sent lui aussi que quelque chose ne va pas du tout.

Maman me pousse légèrement.

– Va répondre.

Je me décide enfin à bouger.

Stupidement, je pense à Viviane et mon cœur se ratatine.

Bernard est avant tout un flic, et il est au courant des accidents et...

– Quelque chose est arrivé à Viv' ?

J'ai pas pu empêcher ma voix de chevroter.

Maman me sourit tendrement.

Très tristement aussi.

– Non, il ne s'agit pas de Viv'... c'est... Il vaut mieux que ce soit lui qui te l'apprenne.

Cette fois, je me précipite vers le téléphone.

Mon cœur s'est remis à battre, trop vite.

Si ce n'est pas Viviane, alors... qui ?

Je suis sûr qu'il est arrivé quelque chose de grave à un copain... sinon Maman n'aurait pas empêché François de mettre les infos.

– Allô, Bernard ? C'est moi... Qu'est-ce qu'il y a ?

– Salut, le mioche... Dis-moi... tu connais bien Lionel Chauviré ?

– Ben oui, on est dans la même classe à Henri-IV... Pourquoi ?

– Et... tu l'aimais bien ?

– Cette question ! C'est un super pote et...

Je me rends brusquement compte que Bernard a employé l'imparfait.

– Pourquoi ?... Pourquoi aimais bien ? Je l'aime bien.

– Eh bien... je préfère te le dire, moi, avant que tu ne l'apprennes par les infos... Écoute, Rémi,... il...

– Mais quoi ? Tu es pénible à la fin ! qu'est-ce qu'il a, Lionel ? On s'est vus tout à l'heure ! Il… il a disparu ou quoi ?

Voilà, c'est ça.

Il a dû faire une fugue.

Et Bernard se renseigne auprès de ses copains.

Voilà, c'est aussi simple que ça.

– Tu sais qu'il passe souvent par le Jardin des Plantes pour rentrer chez lui…

– Oui… quand il en a le temps… et alors ? C'est normal, c'est…

Je ne veux pas.

Je refuse de comprendre ce que Bernard essaie de me dire.

– Oh ! Bernard, si… si tu me disais…

– C'est un gardien qui l'a trouvé, Rémi, par hasard. Son corps était presque caché dans les buissons du coin sauvage… On lui a brisé la nuque.

Je sens mes yeux s'embuer de larmes, et la main de Maman sur mon épaule.

– Mais il… On peut le sauver !

La voix de Bernard s'est faite très douce.

– Non, Rémi, ce n'est pas possible… ça ne l'aurait jamais été, il est mort sur le coup… Rémi ? Ça va ?… Je… je suis désolé…

– Ouais, ouais… ça va.

Je retiens assez mal mes reniflements.

– Tu comprends, je préférais t'avertir… avant que tu ne voies ça à la télévision.

– Oui, je comprends… c'est… merci… C'est con, il allait être le premier de la classe ce trimestre et... Oh ! merde ! Je sais plus ce que je raconte... Salut, B.B.

Je raccroche et je me blottis dans la douce chaleur de Maman.

C'EST UN GARDIEN QUI L'A TROUVÉ, PAR HASARD.
SON CORPS ÉTAIT CACHÉ DANS LES BUISSONS.

ÉMILIE

Les tout premiers jours, la vie au lycée a été intolérable. D'une part, les questions des flics sur Lionel, ses habitudes, les gens qu'il aurait pu rencontrer et qu'on aurait peut-être remarqués, et, d'autre part, sa place vide qu'on évite de regarder.

Et puis, la vie continue tout simplement.

Parce qu'il y a les cours, les devoirs, les vacances de Pâques qui s'approchent et notre vie à nous qui bat au rythme du printemps. Ce printemps qui ravive en nous un peu plus douloureusement le souvenir de Lionel, parce qu'il rêvait d'être jardinier et était attentif au moindre bourgeon, toujours le premier à repérer le premier arbre qui fleurissait au Jardin des Plantes

En tout cas, un peu plus d'une semaine a passé sans que l'enquête ne progresse d'un poil.

A la décharge de Bernard et de ses collègues, faut dire que rien n'est facile.

Lionel était un garçon tranquille qui n'avait pas de défauts particuliers. Bref rien qui peut conduire à ce genre de fin, surtout dans les films policiers ou dans les journaux à grand tirage.

Il ne se droguait pas, ne fréquentait pas des gens louches, et ne piquait pas dans le porte-monnaie de ses parents.

– Un dingue ! Ça ne peut être qu'un dingue pour s'attaquer comme ça à un mouflet... Vous risquez de ne jamais le trouver, conclut François d'un ton morose après que B.B. nous a fait part des premières investigations menées par la police.

– Peut-être...

– Mais, bordel ! quelqu'un a bien dû voir quelque chose ! Il devait quand même faire une drôle de tête !

– Malheureusement, je crois bien qu'il devait avoir un air tout à fait normal, François, car, effectivement, personne n'a rien remarqué... De toute façon, le... Lionel a dû être tué juste avant la fermeture, au moment où il y a le moins de monde.

– Mais pourquoi Lionel ? Enfin, c'était un chic type et...

– Peut-être parce qu'il était le seul môme dans le parc à ce moment-là, me répond doucement Bernard.

– Si on parlait d'autre chose ? suggère Edmée.

– Bonne idée ! Es-tu toujours contente de

bosser à l'Hôtel-Dieu, ou tu as envie de changer ? demande Bernard.

– Bof... ça va, c'est pas trop mal quand même, les urgences. On voit quelques trucs intéressants... De toute façon, faut que je bosse, c'est pas demain que la danse va rapporter du fric... Et puis, faut que je songe à m'installer... je suis grande maintenant, je travaille.

– Ta mère te fiche à la porte ?

– Très drôle, François. Non, je crois plutôt qu'elle flippe un peu à l'idée que je parte, mais... enfin, c'est pas pour demain, parce que les loyers à Paris...

Bernard pousse un soupir éloquent.

– J'aurais peut-être des tuyaux... Fais-moi signe quand tu te sentiras prête.

– C'est gentil, merci. Mais quand je t'aurai décrit l'appartement de mes rêves, c'est pas des tuyaux qu'il te faudra pour m'aider, mais des pipelines !

Et on se met chacun à décrire la maison idéale.

Je commence un peu à me détendre.

J'étais pas franchement à l'aise quand on parlait de Lionel. Mais je comprends que B.B. éprouve le besoin d'en parler. C'est toujours comme ça quand il commence une enquête... mais jusqu'à présent, il ne s'était jamais agi d'un copain de ma classe.

***

Émilie pressa le pas.

Sans trop savoir pourquoi, elle se sentait angoissée.

Peut-être à cause de Lionel ?

Personne dans la classe n'était vraiment bien depuis le meurtre. Et puis, il y avait autre chose... mais ça, elle en avait parlé à Flavien et il l'avait rassurée.

Cependant, maintenant qu'elle marchait seule dans les rues, elle retrouvait ses craintes.

Elle regretta d'avoir refusé la proposition de sa mère.

Elle aurait dû accepter qu'elle l'accompagne.

Émilie se traita d'idiote.

Depuis qu'elle connaissait Flavien, elle avait fait le chemin au moins cent fois.

Elle fut soulagée de se retrouver dans la rue Tournefort.

La rue Lhomond lui avait semblé particulièrement déserte. Pourtant, il n'était que huit heures et demie du soir.

Mais il avait recommencé à pleuvoir, et les gens se cloîtraient à nouveau chez eux.

Émilie remonta assez rapidement la rue.

La Contrescarpe n'était pas très loin.

Elle n'était pas dans un jardin.

Il ne pouvait rien lui arriver.

Le cœur de la petite fille se serra lorsqu'elle entendit des pas résonner lourdement derrière elle.

Elle se força à ne pas courir, et à maîtriser sa peur.

La rue était à tout le monde, et les gens avaient bien le droit de se promener.

Même par temps de pluie.

Il lui sembla que les pas se rapprochaient.

Elle se retourna brusquement.

L'homme était tout près.

Émilie voulut hurler.

Elle n'en eut pas le temps.

***

– Et paf ! Il pleut encore !

Nous écoutons un petit moment la pluie battre contre les vitres.

Bernard pose son verre de fine et va fermer les volets.

Il a à peine fini que la sonnerie agressive de son téléphone retentit, l'empêchant de se réinstaller dans son fauteuil.

Il emporte quand même son verre au passage.

– Pas moyen d'avoir la paix, même chez soi, marmonne-t-il.

François et moi échangeons un petit sourire complice.

Le cinéma de B.B. ne marche pas avec nous. Nous savons bien que s'il se passe quelque chose de grave sur son secteur, il ne supporte pas de ne pas en être averti immédiatement.

Edmée profite de la

communication de Bernard pour me questionner un peu sur mes amours.

Je ne l'ai pas vue très souvent, Edmée, parce qu'elle bossait beaucoup avec Valentine, son amie et prof de danse. Elles préparent un spectacle pour la fin de l'année, et, comme elles avaient pris un peu de retard sur leur programme, elles ont mis les bouchées doubles et Edmée est devenue rare par chez nous.

– Comment va Viviane ?

– Très bien.

– Et toi et Viviane ?

– Encore mieux... Mais tu es bien curieuse ?

– Je m'intéresse à toi, voyons !

François termine son bourbon alors que Bernard revient vers nous. D'après son expression, nous devinons que nous pouvons dire adieu aux spaghettis au basilic qu'il nous avait promis.

– Du boulot ? questionne François.

– Plutôt... Du sale boulot... Peut-être le même type. En tout cas, c'est la même méthode, la nuque brisée...

– Et la victime ? interroge Edmée d'une voix très douce.

Bernard évite de me regarder.

– Euh... on ne sait pas encore... Pour le petit

Lionel, c'était assez facile de l'identifier à cause de son cartable, mais là...

– Tu... tu veux dire que c'est... un... un môme de mon âge ?... Encore...

Je suis tellement tendu que parler m'a fait mal.

Maintenant Bernard me coule un regard insistant auquel j'essaie d'échapper.

– C'est... une petite fille... Peut-être une gamine du quartier... ça s'est passé rue Tournefort.

Ignoblement, je me sens soulagé.

Ce n'est pas la rue de Viviane.

Mais quand Bernard a dit qu'il s'agissait d'une petite fille, j'ai cru tomber dans les pommes.

– C'est un passant qui l'a découverte, il venait de la rue du Pot-de-Fer. Ça vient juste d'arriver, le corps était encore chaud quand...

– Mais arrête ! Ou je vais vomir sur ta moquette !

Bernard me considère fixement.

– C'est pas très loin de la rue Monge, et tu connais presque tous les gosses du quartier...

Instinctivement, je me serre contre Edmée.

Je ne veux même pas imaginer ce que Bernard veut me demander.

– Ah non ! Pas question ! Tu ne vas pas lui demander ça ! intervient François d'un ton rogue qui interloque Bernard.

Mais sa stupéfaction ne dure pas. Il claque

rageusement des doigts et s'agenouille auprès de moi.

– Écoute, Rémi, peut-être que cette gamine allait chez un copain, et ses parents ne vont pas s'inquiéter, et peut-être qu'elle n'est pas du quartier, et peut-être que ses parents ne vont pas regarder la télé ou n'écoutent pas la radio, et la photo ne paraîtra que demain, et peut-être…

– Oui, je sais ! Peut-être qu'ils ne lisent pas les journaux et peut-être… C'est quoi ce jeu dans lequel on doit employer un mot le plus de fois possible dans une phrase ? Tu y arrives très bien, je t'assure ! Mais si tu crois que c'est comme ça que tu vas me convaincre d'aller reluquer un cadavre, tu te goures ! Je ne veux pas !

– Rémi…

François se lève brusquement.

– N'insiste pas, Bernard. La conscience professionnelle a des limites, peut-être celles de l'amitié.

Devant son ton solennel et son visage dur et fermé, Bernard n'ose pas insister.

Et alors, je repense à Viviane…

Si c'était elle ?

Non, impossible.

D'abord, en ce moment, elle doit se trouver au restau.

Son père a obtenu une promotion, et, pour fêter ça, il a emmené la famille au restaurant.

Donc, ça ne peut pas être Viviane, elle n'aurait aucune raison d'être dehors... seule.

Au fond, c'est du corps sans vie de Viviane que j'ai peur... ça ne peut pas être elle.

Ça ne doit pas être elle !

Seulement, pour en avoir la certitude, je n'ai qu'un moyen.

– J'accepte, B.B.

Ma voix me paraît un peu plus tremblotante que prévu.

– Je suis vraiment désolé, Rémi.

François me contemple d'un air consterné.

– Mais tu es malade !

– Non, ça ira, je te jure mais...

– Faut que tu saches, c'est ça ?

– C'est ça, Edmée,... c'est ça... Vous... vous venez ?

– Tu crois qu'on te laisserait tomber, le mioche ?

– Non... non. On y va vite, d'accord ?

***

Et on y est presque trop vite.

Personne n'a bougé le corps, recroquevillé dans l'encoignure d'un porche.

On l'a simplement recouvert d'un drap.

Il y a des badauds que les flics essaient de faire reculer, des gens aux fenêtres, des photographes, et aussi plein d'autres gens dont l'utilité me semble douteuse.

Flanqué d'Edmée et de François, je m'approche de la forme étendue.

TU LA CONNAIS ?

Bernard m'a précédé et s'accroupit auprès du petit cadavre.

Il fait lentement glisser le tissu blanc qui recouvrait le visage.

Un policier darde la lumière crue d'une torche sur le visage et le haut du buste.

Je distingue une grosse tache de sang, diluée par la pluie.

Mais ce n'est pas ça qui fait que j'ai l'impression de flageoler et de manquer d'air.

– Tu la connais ?

Je m'accroche à François pour ne pas m'avachir à terre.

– C'est... Émilie Lombard... Elle est... était dans ma classe... elle habitait plus bas, avec sa mère, rue de l'Arbalète... Ce soir... elle devait aller regarder *Diva*, sur le magnétoscope de Flavien. Il habite un peu plus haut, dans la rue Blainville... Lui aussi, il est dans ma classe.

Et là, je craque.

Parce que lorsque le drap a glissé, j'ai cru reconnaître Viv', juste avant de me rendre compte que c'était Émilie.

– François,... je veux rentrer.

Bernard me demande un dernier effort pour lui donner l'adresse exacte d'Émilie et me libère enfin.

Et je n'ai plus qu'une envie.

Être chez moi, et ne plus penser aux yeux terrifiés d'Émilie.

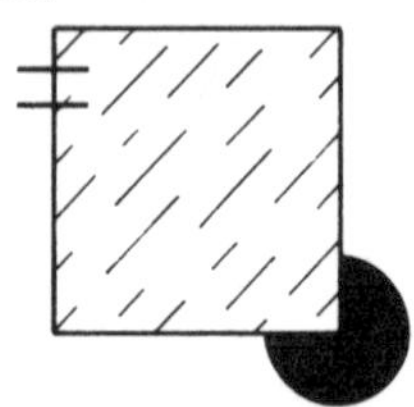

À QUI LE TOUR ?

Pendant quelques jours, on ne peut pas dire que l'atmosphère ait été ce qu'on appelle la franche gaieté.

Une deuxième place vide dans la classe ayant profondément ébranlé notre moral, le proviseur du lycée nous avait accordé trois jours pour nous remettre un tout petit peu de nos émotions.

Un vent paranoïde soufflait au-dessus de nos têtes, et aucun satyre n'aurait pu nous entraîner dans de sombres fourrés, quelle que fût la qualité de ses bonbons.

La proximité des vacances de Pâques nous soulage néanmoins, parce qu'il nous est vraiment pénible d'entendre les profs trébucher sur les noms de Lionel et d'Émilie en faisant l'appel.

L'habitude de les prononcer.

Altaïr relève la tête et ferme sèchement son livre de maths.

– Finalement, les chiffres, j'aime pas ça !

– Ben, tu devrais. Avec ton nom d'étoile, tu devrais être astronome. Elle ne savait pas ça, la fée qui s'est penchée sur ton berceau ?

– Elle y a trouvé Viv', elle a confondu, c'est tout.

Il pointe son menton un peu aigu vers Viviane qui le regarde d'un air amusé.

– Le génie des maths, c'est elle. Et puis d'abord, Altaïr, ça veut dire aussi « petit cheval ». Et moi, c'est vétérinaire que je veux être. Alors, astronome... Pff !

– Il te faudra quand même des maths, même pour être véto, fait judicieusement remarquer Viviane.

– Certes. Mais moins, concède son frère.

Un coup léger frappé à la porte de ma chambre, et la tête de François apparaît dans l'entrebâillement.

– C'est fini vos devoirs, les mômes ? J'ai faim !

– Ouais, ouais. On arrive, marmonné-je à son intention.

Visiblement soulagé de savoir qu'il va bientôt dîner, François disparaît.

– C'est sûr que ça ne le dérangera pas de nous raccompagner ? Mme demande Viviane.

Maman a invité Viv' et Altaïr à dîner.

On avait décidé de bosser ensemble nos devoirs de maths et, comme on discutaillait ferme entre deux exercices, cela n'avançait pas avec la rigueur nécessaire, ni la rapidité escomptée. Voyant cela, Maman, après avoir un tout petit peu aidé Altaïr – elle n'est pas prof de maths pour rien –, a proposé à mes amis de rester, leur signalant qu'elle téléphonerait à leurs parents pour les prévenir. Et François a promis de les raccompagner avec Seccotine.

– Mais non, pas du tout... Tu sais qu'il y a deux fois « vie », dans ton prénom ?

Viv' m'éblouit de son sourire.

– C'est vrai. Je vivrai deux fois. C'est moins que les chats, mais c'est pas mal quand même.

Altaïr hausse les épaules avec dédain.

– Délirez pas trop là-dessus. Dans Viviane, il y a aussi « âne ».

Viv' lui décoche une baffe affectueuse.

– C'est pour ça que tu veux être vétérinaire, alors ?

– Absolument !

– Sale bête !

Altaïr éclate de rire.

– Entre un cheval et un âne, nos parents, ils auraient pu monter une ménagerie !

– Un cirque, plutôt, interviens-je.

Bien à tort, car Altaïr ne loupe pas la perche que j'ai eu la bêtise de lui tendre.

– Quand on a un prénom littéraire qui s'est illustré dans un cirque de chiens ambulants, on a la pudeur de se taire !

Je sens que ma haine pour Hector Malot n'est pas près de s'éteindre. François m'empêche de répondre de belle façon en surgissant dans ma chambre sans même frapper.

– Cette fois, je meurs de faim !

Nous nous dépêchons de fermer nos bouquins et nous le suivons.

***

François délaisse un instant la route pour me regarder.

– Dis-donc, t'es vraiment accro, toi ?

Je me cale aussi confortablement que je le peux sur le siège avant un peu délabré de Seccotine.

– Viviane, c'est mon Amérique à moi, paraphrasé-je à peu près le vers d'une chanson pour lui répondre.

Nous avons laissé Viv' et Altaïr devant chez eux, attendant même que la porte de l'immeuble s'ouvre.

Sans vouloir se montrer spécialement alarmiste, Bernard a recommandé à toute la classe de faire gaffe et d'éviter de sortir sans être accompagné. Et aussi de préférer les lieux publics à la solitude des ruelles désertes ou des parcs dépeuplés.

Sans vraiment savoir d'ailleurs si c'est un pur hasard que deux mômes de notre classe se soient fait assassiner, ou bien si c'est une volonté délibérée du meurtrier.

A travers une multitude d'euphémismes, Bernard a dit que l'hypothèse d'un maniaque sexuel pouvait être écartée.

J'ai mis fin à ses allusions en lui signalant que nous n'avons peut-être pas l'âge de voter, mais qu'il ne faut tout de même pas nous prendre pour des crétins. Même si personne ne nous le dit jamais ouvertement, nous nous doutons bien qu'il existe des gens pas très nets, sans pour autant passer nos journées à y penser et à en avoir peur. Il n'y aurait plus un seul gosse dans les rues !

Et puis, si on devait tout le temps se méfier de tout et de tous, la vie serait invivable.

Enfin, Bernard nous a rassurés. Nous n'avons rien à redouter pour notre vertu, mais seulement pour notre existence ! Joyeuse consolation ! Il paraît que si l'assassin était un satyre patenté, d'abord il laisserait des traces – la pudeur de B.B. préférant laisser galoper mon imagination, j'essaie de ne pas penser à certains gros titres de journaux –, et puis il ne s'attaquerait pas indifféremment aux garçons ou aux filles.

Si Bernard était satisfait de ses déductions et de celles de ses collègues, nous n'étions pas franchement ravis, dans la classe. Parce qu'on ne savait toujours pas ce qui nous intéressait en premier lieu.

C'est-à-dire si l'assassin allait encore frapper, et qui serait la prochaine victime.

A qui le tour ?

Voilà la question que nous nous posions tous, et à laquelle, malgré ses brillantes suppositions, Bernard était incapable de répondre.

– Tu as eu la trouille, n'est-ce pas ?

Je m'arrache à mes sombres pensées.

François tourne lentement dans les rues, à

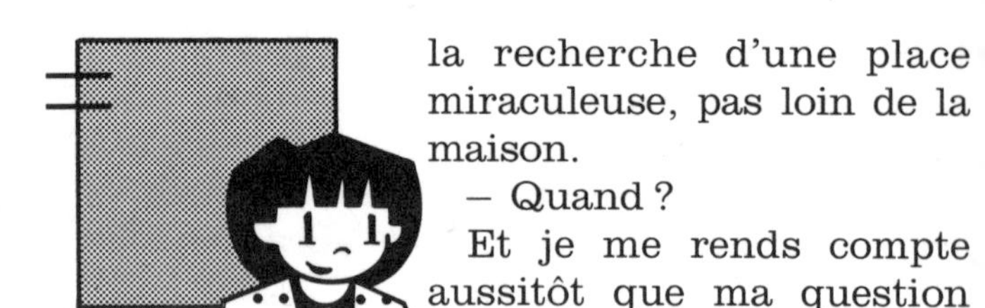

la recherche d'une place miraculeuse, pas loin de la maison.

– Quand ?

Et je me rends compte aussitôt que ma question est idiote.

Nous n'avons pas reparlé d'Émilie depuis le jour où je l'ai identifiée… il y a dix jours.

Déjà.

– Oui… j'ai eu peur que ce soit Viv'.

– C'est bien ce que j'avais cru comprendre.

– Et puis la tache de sang… je ne m'y attendais pas.

– Il te l'a expliqué, ça, Bernard. A priori un hasard. Émilie s'est effondrée sur un tesson de bouteille qui trainaît et ça l'a écorchée.

– Ouais… n'empêche, ce salaud a dû la précipiter de toutes ses forces vers ce fichu tesson… Si… Si on parlait d'autre chose ?

– O.K. J'ai rêvé ou j'ai entendu Maman dire qu'elle allait tirer le portrait des jumeaux ?

– Tirer le portrait ! Si elle t'entendait ! Oui, ils ont promis de poser pour son prochain tableau… et Altaïr lui a extorqué quelques tuyaux en maths, en échange.

– Hum hum ! Ça nous changera des fleurs et légumes… J'en avais un peu marre de me demander si je n'allais pas compromettre une œuvre immortelle en croquant une pomme !

J'avoue qu'il a raison.

La récente période « natures mortes » de

Maman fut très pénible. Mais enfin, c'était pour une exposition, alors on s'était mis au diapason.

– Et si tu me parlais de Viviane ?

Ça, c'est un sujet qui me plaît beaucoup.

En vérité, je suis intarissable une fois lancé. Et je me lance :

Je décris sans fin le moindre de ses sourires, de ses gestes, de ses rires. Je m'étends sur ses qualités autant que sur ses défauts. Je narre ses brèves disputes avec Altaïr et leurs brusques réconciliations. Je dis encore son visage de petit renard malicieux et ses yeux pétillants de gaieté, et puis encore... De toute façon, tout ce que je pourrais exprimer ne sera jamais vraiment Viviane, parce qu'au fond elle n'est qu'une petite fille pareille à des milliers d'autres.

A deux différences près.

Elle est mon amie et je l'aime.

– Mais c'est mignon tout plein, tout ça ! s'exclame François, clôturant ainsi mon discours lyriforme.

Un peu vexé par son ton moqueur, je me tourne délibérément vers la vitre pour bouder à mon aise.

Une main ébouriffe avec vigueur mes cheveux.

– Allons, ne m'en veux pas ! Je n'ai plus le droit de plaisanter maintenant ?

Et toutes les vannes que tu me balances au sujet d'Edmée ?

Je dois bien admettre qu'il a raison.

– Paix ?

Faut bien que je montre que je ne suis pas rancunier.

– Paix... Hé ! T'as une place ; juste là !

François pousse un soupir de soulagement.

Je suis sûr qu'il se voyait faire le tour du pâté de maisons jusqu'au petit matin.

– Super !... Au fait, demain, je t'accompagne au bahut.

– Tu quoi ?

– Ordre de Bernard.

– Ah bon ?... Ah bon !...

Et là, je me rends compte que mon vieux frangin est vraiment inquiet pour moi.

Parce que m'accompagner au lycée à huit heures, c'est vraiment un truc.

Il ne se lève jamais avant neuf heures du matin... sauf pour les cas graves.

Il y a quelque temps, il l'avait fait pour Edmée...

Maintenant il le fait pour moi.

Bernard aurait-il peur que... ce soit bientôt mon tour ?

FLAVIEN

Flavien avait longuement réfléchi.

En réalité, il ne voyait pas beaucoup de solutions à son problème.

La police ?

Elle ne le prendrait pas au sérieux.

Ou pire, croirait qu'il essayait de se rendre intéressant.

Ses parents ?

Il n'était pas très sûr qu'ils accorderaient beaucoup d'attention à ce qu'il pouvait penser ou ressentir.

Ce qui leur importait, c'était son passage dans la classe supérieure. Et surtout ses bonnes notes... le reste...

Heureusement qu'il y avait les copains !

Parce que sans ça...

Une chance tout de même que ses amis aient toujours été assez futés pour se rendre sympathiques à ses parents qui ne pensaient même pas à leur demander le métier qu'exerçait leur père.

Étant sous-entendu que, dans un certain milieu – en particulier celui de Flavien –, les mères ne travaillaient pas.

Elles étaient supposées s'occuper de l'éducation de leurs enfants. Et Flavien remerciait le ciel que sa mère n'appliquât pas à la lettre ce digne précepte.

En tout cas, il n'était pas question de raconter quoi que ce soit à ses parents... Finalement, ils seraient capables de le boucler, pour le protéger... ou de le faire accompagner par un chien-loup. Ce qui n'était pas l'idéal.

Cependant, bien sûr,... cela aurait l'avantage de le délivrer de la peur.

Parce qu'en fait, sans le montrer, Flavien était positivement terrifié.

Et ne savait pas à qui confier sa détresse.

Et puis, il se sentait coupable.

Terriblement.

A cause d'Émilie... parce que, justement, il ne l'avait pas prise au sérieux.

Il ne pouvait pourtant pas rester tout seul, avec sa peur. Alors, brusquement, Flavien prit sa décision.

Il parlerait.

Et il savait à qui.

***

– A mon humble avis, je devrais m'en tirer sans trop de fautes, affirme modestement Altaïr.

Quand il émet ce genre de supposition, c'est
u'il est certain d'avoir fait un sans-faute.

Si sa paresse alliée à une haine profonde des
naths lui fait souvent frôler la nullité absolue
ans cette matière, en revanche, il a le sens
nné de l'orthographe.

Il épelle chrysanthème sans problème et
dore les mots compliqués. Nous soupçonnons
'ailleurs Mlle Angelini de nous coller des
ictées d'un niveau légèrement supérieur au
ôtre, juste pour le plaisir de coincer Altaïr.

En tout cas, si lui s'en tire aisément, on
e peut pas en dire autant du reste de la
lasse.

Alors, de temps en temps, pour souffler un
eu, nous essayons de soudoyer Altaïr.

– Deux fautes, ce n'est pas beaucoup. Deux
utes à la prochaine, c'est tout ce qu'on te
emande.

– Ah non ! C'est beaucoup, deux fautes.

– Parle pour toi, soupire Martin.

– Et puis, c'est pas honnête. Et de toute
çon, c'est très bon pour vous de faire des
ictées aussi difficiles. Au moins, vous êtes
arés pour l'année prochaine.

Ce genre de discussion suit en général une
ictée dont la note compte en partie pour le
assage dans la classe supérieure.

Altaïr commence à en avoir l'habitude, et
ous aussi.

En fait, chacun récite presque machinale-
ent un texte inusable, parce qu'au fond une

mauvaise note n'est pas ce qui nous dérange l
plus.

Enfin, la majorité d'entre nous.

La sonnerie nous rappelant que nos cher
professeurs nous attendent retentit, et nou
nous dirigeons vers notre classe, interrom
pant nos tentatives de corruption.

Une main accroche légèrement mon bras
me retenant en arrière.

– Rémi, j'ai un service à te demander.

Je me retourne légèrement.

Flavien, l'air inquiet, me fixe d'un regar
fiévreux.

– Tu ne te moqueras pas de moi, n'est-c
pas ?… Pas toi…

– Non, bien sûr que non. Sois pas crétin
Qu'est-ce que tu veux ?

– Tu… pourras m'accompagner jusqu'à l
maison, tout à l'heure, avec Altaïr e
Viviane ?

– Mais oui. Sans problème. C'est vraimen
pas la peine de t'affoler pour ça.

– Merci.

Il relâche mon bras pour me permettre d
m'installer à ma place habituelle, près d
Viviane.

Quelque chose doit sacrément turlupine
Flavien.

Son silence m'étonnait aussi ; d'habitude,
est le premier à avancer les arguments les plu
habiles pour tenter de soudoyer Altaïr.

Et même si aujourd'hui nous l'avons surtou
fait par habitude, pour nous détendre à caus

de l'atmosphère oppressante qui règne dans la classe, l'air grave et tendu de Flavien m'a intrigué. Et je dois m'avouer que je viens de penser de sombres inepties.

Émilie prenait une part active à notre petit jeu. Et Flavien était son copain officiel.

Je coule un regard ému vers Viv' qui écoute attentivement le professeur d'histoire.

Je m'empresse de l'imiter, sentant venir une sournoise question de la part de ce brave homme qui tient beaucoup à l'homogénéité de son auditoire.

Par bonheur, ce soir notre prof ne s'est pas lancé dans une de ses habituelles digressions qui nous font, en règle générale, faire des heures sup' au lycée.

Il a l'art et la manière de parler de Louis XIV quand il fait un cours sur Bonaparte, et de Jules César, quand il nous entretient des affaires d'Henri VIII.

Marignan 1515, ça le barbe autant que nous, et en principe j'adore l'écouter.

Mais, ce soir, j'ai très envie de sortir à l'heure, pour savoir le plus vite possible ce qui angoisse ainsi Flavien.

***

Flavien nous attend devant la porte du lycée, le visage tendu vers le bas de la rue Clovis.

Il semble guetter quelqu'un.

Et il a l'air encore plus inquiet que tout à l'heure.

– On dirait qu'il pétoche sec. Henri-IV c'est quand même pas si loin de la Contrescarpe pour qu'il ait peur de rentrer chez lui tout seul, me glisse Altaïr au creux de l'oreille.

Flavien nous aperçoit et presque toute l'inquiétude s'efface de ses traits, laissant juste une petite ombre dans ses yeux.

– C'est sympa de votre part.

– Normal, mon vieux. Mais si tu nous disais ce qui te tracasse, on apprécierait.

Flavien évite mon regard et cherche celui de Viviane.

D'ailleurs, une fois qu'il l'a trouvé, il baisse les paupières et s'absorbe dans la contemplation du trottoir, ou de ses chaussures, ou du caniveau.

En tout cas, c'est à ras de terre et surtout pas à hauteur de nos yeux qu'il regarde.

– C'est ma faute si Émilie est morte.

Il a parlé si bas que j'ai l'impression de ne pas avoir bien entendu. Et d'avoir mal compris.

– Quoi ?

Flavien répète sa phrase de façon encore plus inaudible, puis relève la tête. Ses yeux sont embués de larmes.

Viviane le prend gentiment par les épaules et commence à marcher.

Altaïr et moi les suivons, trois pas en arrière.

Quelques copains, qui stagnent dans la rue, nous octroient des regards curieux mais n'osent pas nous aborder.

Et c'est pas plus mal.

FLAVIEN NOUS ATTEND DEVANT LA PORTE DU LYCÉE,
LE VISAGE TENDU VERS LE BAS DE LA RUE CLOVIS.

Flavien n'a pas besoin d'un grand public.

Je ne sais pas ce que lui raconte Viv', mais ça a l'air de le requinquer un peu.

– Bon, alors ? Maintenant que ça va mieux, explique nous.

Les scènes sentimentales n'agréent Altaïr que lorsqu'elles sont courtes.

Flavien semble suffisamment remis de son émotion pour pouvoir enfin nous parler.

Il renifle, essuie quelques larmes du revers de sa manche et pousse un long soupir.

– Voilà... j'ai eu peur parce que, ce matin, un type m'a suivi jusqu'au lycée...

– Tu as vu comment il était ?

J'interromps hâtivement en pensant à l'enquête de Bernard.

Flavien secoue tristement la tête et me regarde d'un air navré.

– Non... Il s'est rendu compte que je l'avais repéré et il a fait gaffe, il est resté assez loin et j'ai vraiment pas pu voir la gueule qu'il avait... Je crois bien qu'il était brun, mais... En tout cas, moi je n'ai pas pu le semer... C'est lui qui m'a largué un peu avant le lycée... Je pense qu'il l'avait décidé...

– Écoute, je ne vois vraiment pas le rapport avec Émilie... Je veux dire, des mecs qui suivent des gosses..., ça arrive.

Altaïr a raison.

Inutile de voir le meurtrier partout.

Avec son visage d'ange blond, Flavien entraînerait à sa suite une armée de tordus.

Je suis sûr qu'il fera du cinéma, un jour...

mais en attendant on n'en est pas là, et sa trouille, c'est justement pas du cinéma.

– Mais vous ne comprenez pas... il y a autre chose... Émilie aussi avait été suivie, et moi aussi j'avais répondu qu'il fallait pas voir l'assassin partout et qu'il y avait des mecs bizarres dans les rues et... elle est morte... Je... J'aurais dû faire gaffe ! Lui proposer d'aller la chercher ou...

– C'était peut-être pas le même mec ? hasardé-je, histoire de nous rassurer.

– C'est vrai, ça ! Il y a un max de tarés dans les rues de Paris. Même moi, je me suis fait filer et... Oh ! C'était juste avant la mort de Lionel ! se rend brusquement compte Altaïr.

Son visage se décompose lentement, et je gage que nos bobines ne doivent pas être plus gaies.

Viv' et moi, nous nous rappelons notre inquiétude aux portes du jardin du Luxembourg.

– Au fond..., c'est peut-être le même mec, re-hasardé-je.

Et cette perspective est loin de nous égayer.

Tout en parlant, nous sommes quand même arrivés rue Blainville, devant l'immeuble de Flavien.

Nous lui conseillons de ne plus sortir seul, et de prévenir la police. Peut-être que tout vient de notre imagination surexcitée, mais s'il existe la moindre chance de relier le suiveur de

Flavien et d'Altaïr à celui d'Émilie, eh bien, nous nous promettons de ne pas la rater.

– Faudra que t'en parles à ton copain Bernard, suggère Viviane.

– Tu as raison... J'aurais dû dire à Flavien de le contacter... Oh ! je pense qu'on le lui passera, au commissariat.

Maintenant que Flavien est chez lui, en sécurité, il ne nous reste plus qu'à regagner nos foyers respectifs... ce que nous faisons, chacun perdu dans de mornes et inquiétantes pensées.

LE CLAN DES SEPT

Altaïr et Viviane me raccompagnent d'abord chez moi puisque j'habite assez près de chez Flavien, place Monge.

– Remarque, même si les suiveurs sont une seule et même personne, ça ne va pas beaucoup avancer ton copain Bernard puisque ni Flavien ni moi ne pouvons le décrire, constate sombrement Altaïr après un long moment de silence qui a duré la moitié de la rue Lacépède.

– Ben... ça prouve quand même qu'il ne frappe pas au hasard... Enfin, faut quand même qu'il fasse gaffe, Flavien ! rétorqué-je.

– Altaïr, Lionel, Émilie, Flavien... Sherlock Holmes, Jim Hawkins, la princesse Léia et Scapin..., énumère lentement Viviane.

– Que veux-tu dire ? demande brusquement Altaïr, s'arrêtant net.

Je suppose qu'il a compris, mais il doit avoir envie de se l'entendre dire.

Je prends la relève de Viviane.

– Notre petit « clan des Sept » de Mardi

gras, ou presque..., de Vendredi gras plutôt. Il manque encore la dame Galadriel, Colombine et Pierrot.

– C'est-à-dire Juliette, toi et Viv'...

– T'as tout compris, mec !

– N'importe quoi ! explose Altaïr.

Pourtant il doit bien convenir que c'est plausible.

– C'est déconnant votre truc... enfin, je veux dire... On était les seuls à savoir qu'on allait se balader dans les rues... C'était improvisé et... et puis, qu'est-ce qui t'a fait penser à nous ?

Viviane pousse un petit soupir.

– Oh !... je ne sais pas vraiment... C'est après la mort d'Émilie, peut-être, parce que Lionel faisait aussi partie de notre groupe et que j'avais pas oublié le type qui avait suivi Altaïr... Mais comme maintenant Flavien aussi... Vous êtes quatre à avoir été suivis.

Altaïr hoche gravement la tête.

– Il avait peut-être repéré Lionel comme ça, en le suivant, et il a découvert qu'il passait par le Jardin des Plantes et...

– Et puis tu dis qu'on était les seuls au courant de notre petite escapade costumée, mais tu oublies le reste de la classe et la prof. Et après, on en a parlé autour de nous, c'était pas un secret.

Mes paroles convainquent Altaïr.

– Bien. Nous sommes visés... Et Juliette a une sacrée veine d'être au fond de son lit avec une super entorse. Sa beigne au ski lui aura peut-être sauvé la vie... mais nous... nous !

Mais pourquoi il veut nous décimer, ce mec ? Qu'est-ce qui s'est passé ce jour-là pour nous valoir ses faveurs ? Merde ! Pourquoi nous ?... Pff ! On s'en sortira pas comme ça... tu devrais voir ton copain flic vite fait.

Je leur promets de lui téléphoner tout de suite.

Il me tarde d'être chez moi, dans la tiédeur rassurante de l'appartement. La rue me semble brusquement hostile et pleine de dangers.

– Rentrez bien ! lancé-je à Altaïr et Viv' qui s'éloignent.

Et ce soir, cette petite phrase que nous prononçons si souvent, si machinalement, sans même y prêter attention, résonne sinistrement à mes oreilles.

Parce que je ne suis pas très sûr qu'ils rentrent bien.

Pourvu que le meurtrier ne les suive pas.

La maison est un peu vide.

Dommage.

J'avais envie de parler.

Papa est à son fichu cabinet dentaire, François doit être à Radio-Marmotte ou en cours, à la Sorbonne, et un petit papier sur la table de la cuisine m'apprend que Maman est partie faire des courses directement à la sortie du lycée.

Elle avait proposé de m'attendre à la fin des cours, ce matin, mais j'ai refusé.

Entre François qui m'a servi de chauffeur aux aurores et Maman qui aurait fait office de nounou, j'aurais pu me croire en maternelle.

Faut pas déconner !

Enfin, en tout cas, c'était ce que je me disais jusqu'à ce que Flavien parle.

Avant de passer un coup de fil à Bernard, je me prépare un thé, pour me réchauffer.

C'est pas qu'il fasse spécialement froid, même si le ciel n'est plus aussi azuréen qu'il y a quelques jours – il serait même franchement grisâtre –, mais je me sens complètement gelé.

Maudissant cette saloperie de téléphone mural que François a eu l'ingénieuse idée de fixer, et qui empêche de bavarder tranquillement vautré dans un fauteuil, j'appelle mon commissaire préféré.

Il me faut un petit bout de temps pour le joindre.

Le commissariat du cinquième a l'air en effervescence.

La voix de B.B. résonne enfin dans l'écouteur.

– Bernard Brunaud à l'appareil.

– Pas la peine de prendre ta voix officielle, c'est moi !

– Oh ! Salut, Rémi ! Ça va ?

– Ouais... euh... Flavien t'a téléphoné ?

– Qui ?

– Flavien Martigny. On lui a conseillé de t'appeler... enfin, de joindre la police... Il l'a peut-être fait sans que tu le saches forcément.

– Mais de quoi tu parles ? Pourquoi il doit me contacter, ton... C'est un des mômes de ta classe, n'est-ce pas ?

– Oui… Je crois qu'on a peut-être trouvé un lien entre… les meurtres.

– Tu es sûr ?

– Non, non, voyons… je peux être sûr de rien mais…

– Excuse, c'est idiot comme question. Vas-y, explique… euh, non… tu peux venir ?… ou plutôt… tu es chez toi, là ?

– Ouais.

– Bon, j'arrive.

– Je suis en train de me faire du thé, tu en veux ?

– Oh ! moi, tu sais… l'eau chaude avec un nuage de lait…

– Hé, ça va ! Moi aussi je lis *Astérix* ! J'ai compris, je te prépare un café.

– C'est sympa ! A tout de suite.

Je raccroche, soulagé.

Je ne vais plus être seul.

Bon, le café.

N'empêche, faudrait que quelqu'un se dévoue dans la famille pour aller récupérer un téléphone normal.

Au moins un qu'on puisse bouger, puisque François nous bassine avec son bigophone fixe.

Mon thé est complètement refroidi.

Bon à jeter.

J'en veux un peu à François de ses lubies techniques.

C'est pas toujours une réussite.

***

Bernard avale une gorgée de café.

Je viens de lui raconter le fruit de nos réflexions, et il m'a écouté sans faire aucun commentaire. J'avoue que son silence est loin de me rassurer.

– Très bon. On fera quelque chose de toi. Barman peut-être.

– Très drôle... c'est tout à fait mon rêve.

– Tu sais, c'est moins con que flic.

– Te dénigre pas comme ça... J'ai jamais rêvé d'être flic, de toute façon...

– Moi non plus, au fond.

– Je sais ! Ton truc, c'est le jardinage.

– L'horticulture.

– Mille excuses... Ça... ça ne t'aide pas beaucoup, ce que je t'ai appris, n'est-ce pas ?

B.B. se cale un peu plus profondément dans son fauteuil après s'être servi une deuxième tasse de café.

– Oui et non. Oui, parce que je crois que vous avez raison, que ce type ne frappe pas au hasard, et que Lionel aussi a dû être suivi, sciemment par l'assassin... peut-être toi aussi, et Viviane... Tu m'as dit que votre copine Juliette était chez elle ?

Je m'empresse d'avaler plusieurs lampées de thé. Je n'aime pas du tout l'idée que j'aie pu être filé par le meurtrier... et que Viv' ait pu l'être, elle aussi.

– Ouais... Elle s'est bousillé la cheville, au ski... C'est aussi bien pour elle, non ?

– Exact... Le problème, c'est qu'on ne sait pas pourquoi ce mec vous... enfin, essaie d'abattre votre petit « clan des Sept »... Vous avez certainement dû voir quelque chose... Ou, en tout cas, ce type le croit. Ou seulement l'un ou l'autre d'entre vous a vu ou entendu quelque chose de dangereux pour le meurtrier, et les autres crimes ne sont là que pour faire diversion.

– Ben voyons ! *A.B.C. contre Poirot* !

– Quoi ?

– Oui, un roman d'Agatha Christie où un assassin commet quelques meurtres pour dissimuler le principal... Mais... c'est pas un bouquin, Bernard ! C'est nous ! On va pas attendre comme ça de se faire décimer... en... en se disant que c'est peut-être fini... qu'il a tué celle ou celui qui le gênait... Ou peut-être qu'il va... aller jusqu'au bout... Et... on saura même pas pourquoi ! Et tu vas le laisser faire ? ! ?

– Rémi, je ne suis pas devin, simplement commissaire.

– Excuse-moi...

Je bloque discrètement un reniflement.

Bernard claque nerveusement des doigts.

– Je sais que c'est dur, et que vous avez peur. Mais, au fond, je n'ai rien, tu comprends ? Ce type, c'est un fantôme, personne ne l'a vu, ses empreintes ne figurent sur aucun fichier... et on pensait qu'il attaquait au hasard. Maintenant je sais que non. Tu ne te souviens de rien ? Vous n'avez pas entendu de cri, de bruit inhabituel ? ou...

– Mais non ! T'arrêtes pas de me demander ça... Rien, je te dis... Et je crois pas que les autres aient remarqué quelque chose... On... on en avait parlé de notre petite sortie et il n'y a rien eu de spécial, sinon un mec qui a pas aimé qu'on l'enfarine... Enfin, tu peux interroger les copains si tu veux... ceux qui restent encore...

– Mouais. Je leur demanderai. De toute façon, je vais vous protéger.

– Comment ?

– Je vais vous coller des anges gardiens aux fesses.

– Ça, c'est chic ! Avec un peu de chance, le type, il n'insistera plus.

– Ce n'est pas sûr... Je ne vais quand même pas vous faire protéger par des C.R.S. en grande tenue.

– Oh !... tu veux dire que tes flics se fondront dans la foule... et que tu comptes sur une bourde de ce type pour qu'il se fasse piéger, c'est ça ?

– En quelque sorte, oui, répond Bernard d'une voix sourde, complètement absorbé par sa tasse de café qu'il fait tourner entre ses mains.

– Ah ! mais alors, tu... Si tes poulets étaient

visibles..., on... on pourrait être à peu près sûrs que le mec se... s'arrêterait.

– C'est un risque...

La voix de Bernard n'est plus qu'un souffle.

– Un risque !?! Tu ne crois pas qu'on préfère ça ? ! ? Au fond, ton truc, c'est de faire de nous des chèvres !

Bernard me lance un regard gêné.

– Tu as une autre solution ?

– Ouais ! Tu peux lui flanquer la trouille !

– Et ça durerait combien de temps ?

– Comment ?...

– Tu crois que je pourrais vous protéger jusqu'à votre majorité ou votre mariage, ou attendre que vous mouriez de vieillesse ? Bon Dieu, Rémi ! Essaie de comprendre que, si ce mec a décidé de vous tuer tous ou encore l'un d'entre vous qu'il n'a pas encore assassiné,... eh bien, on ne pourra pas vous filer le train éternellement... Nous ne sommes pas infaillibles, il y aura peut-être un moment où notre protection se relâchera, et ce type en profitera... et finira de vous abattre... Je crois qu'il est patient, Rémi, et qu'il a du temps...

Je sais bien qu'il a raison.

Mais j'arrive pas à l'admettre.

Mais bon, on va quand même être protégés. C'est déjà ça.

– Tu vas prévenir les copains de ton plan ?

– Ce n'est même pas un plan... Tu sais, Rémi, ce qui compte pour moi, c'est quand même de vous protéger... Bien sûr, je veux le faire tomber, ce type, mais je tiens surtout à éviter qu'il continue à vous massacrer. Vu ?

– Vu... T'énerve pas... Tu vas les prévenir ?

– Bien sûr. Et aussi leurs parents.

– Alors je peux le dire à Altaïr et Viv' ?

– Mais oui.

– A partir de quand tu nous fliques ? C'est les vacances de Pâques la semaine prochaine et...

– Je passe un coup de fil et la maison fournit aussitôt les meilleurs anges gardiens de tout Paris !

– Maintenant alors ?

– Oui, je préfère... Où est le téléphone ?

Je lui montre l'entrée.

– Là-bas. Une brillante idée de François. Il a voulu bricoler, un soir, et a bousillé les deux appareils.

– Eh bien ! Les deux ! Il est doué !

– Tu parles ! Du coup, un de ses copains en a profité pour lui fourguer cette saloperie rivée au mur... et depuis, on ne peut plus papoter tranquille.

– Vous n'avez qu'à aller aux P.T.T. demander qu'on vous change les téléphones nases, c'est tout.

– Ben... faut y aller, quoi...

– Je vois... Bon, tu me files les adresses de tes copains ?

– Oui... et... si on se gourait ?

– Comment ça ?

– Ben... je veux dire... tu m'as dit que c'était

pas une preuve, enfin, je t'ai apporté rien de concret et...

– Bien sûr que ce n'est pas concret, comme tu dis, mais je crois bien que c'est ça. L'intuition du fin limier... De toute façon, c'est la seule piste que nous ayons. Alors, ces adresses ?

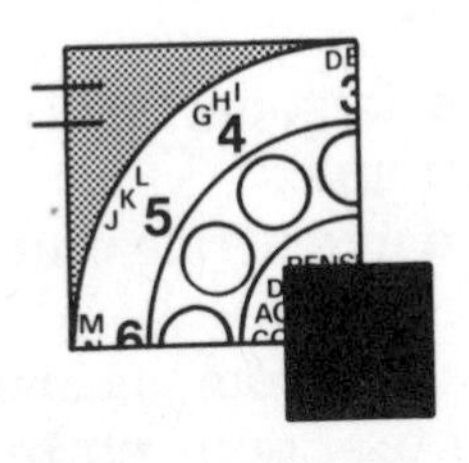

VIVIANE

9

Altaïr et moi faisons figure de « grands » dans la file d'attente.

La moyenne d'âge serait plutôt de huit ans. Quoique !

Les adultes, qui accompagnent les mômes et les « sans-enfants », dont notre protecteur, la font remonter à la majorité.

Altaïr et moi râlons encore une fois contre la version française.

Moi surtout.

Très tôt, François en bon cinéphile a fait mon éducation.

Je crois bien que, à part mes premiers Walt Disney, je n'ai vu au cinéma que des films en version originale. Cette saine habitude m'a fait faire de magnifiques progrès en lecture quand j'étais tout petit et me rend toujours d'immenses services en classe d'anglais. N'empêche, je dois avouer que certaines versions françaises offrent des plaisirs savoureux. Je me souviens notamment d'un western dont les héros se prénommaient Blaise et Marcel. François avait vivement regretté que l'héroïne ne fût pas doublée par Arletty.

« Blaise, je vous aime » dit avec l'accent des faubourgs lui paraissait très intéressant. Phonétiquement.

Alors, les copains profitent de ma marotte et savent que, lorsqu'ils vont au ciné avec moi, c'est en V.O.

Altaïr serait le dernier à s'en plaindre.

Ce salaud traque les fautes d'orthographe.

Le seul avantage – du moins à mes yeux – de voir *L'Histoire sans fin* en version française, c'est qu'on n'aura pas droit à la traduction simultanée. C'est-à-dire les parents qui lisent les sous-titres parce qu'ils n'ont pas fait gaffe que le film était en américain.

Viviane, vaincue par un rhume pernicieux qu'elle n'a pas envie de voir s'aggraver parce qu'il gâcherait ses vacances, a préféré rester au chaud, chez elle.

Avant d'entrer dans la salle, Altaïr me coule un regard inquiet.

– Tu crois qu'on a bien fait de la laisser seule à la maison ? Euh... on aurait dû laisser notre flic devant la porte... Le type, il s'est toujours attaqué aux... aux mômes seuls.

– Écoute, B.B. a juré qu'il expédiait un flic vite fait pour faire le guet.

Pour un peu, Altaïr réussirait à me communiquer son inquiétude.

– Tu es sûr qu'il le fera.

– Mais bien sûr ! Et puis, ce type, il ne

s'attaque pas non plus à nous chez nous... Toujours dehors... Tu veux qu'on retourne ?
– Non... je suis un peu bête parfois.
– Non... moi aussi je suis toujours un peu inquiet pour Viv'.

*
* *

L'homme avait regardé les deux garçons s'éloigner, suivis à peu de distance par leur protecteur.

Il s'était méfié très vite.

Bien sûr, ce n'était jamais le même flic qui pistait les gamins, mais l'homme avait eu très vite la certitude que les enfants étaient protégés.

Alors, il avait redoublé de prudence.

Il avait une mission à accomplir, et entendait la mener jusqu'au bout. D'ailleurs, il ne pouvait que réussir.

Tout s'était parfaitement déroulé jusqu'à présent.

Tous les signes prouvaient qu'il avait eu raison d'agir ainsi.

La police ne pourrait rien contre lui.

D'ailleurs... il allait montrer que lui était vraiment protégé, qu'il était intouchable et qu'ils ne pourraient jamais l'attraper.

Malgré leur surveillance ridicule.

Il allait leur prouver que leur stupide protection était inefficace.

*
* *

Viviane posa son livre auprès d'elle.

Elle ne parvenait pas à se concentrer.

Pourtant, elle aimait bien *Les Filles du docteur March,* et relisait assez souvent ce roman.

Mais là, impossible.

Son esprit vagabondait allégrement sans se fixer sur les pages du livre.

Elle décida de préparer des crêpes.

D'abord cela l'occuperait, lui ferait oublier un peu qu'elle était seule, et puis Altaïr et Rémi adoraient ça.

Elle devait reconnaître sans modestie aucune qu'elle réussissait parfaitement les crêpes.

Viviane s'activa à la préparation de la pâte.

Elle venait juste de la terminer quand on sonna à la porte.

La petite fille hésita à aller ouvrir.

Ce devait être un démarcheur qui essaierait de profiter de l'absence de ses parents pour lui refiler un inutile et encombrant aspirateur. Puis elle se ravisa, et, comme la sonnerie insistait, se dirigea vers la porte d'entrée.

C'était peut-être le flic envoyé par le commissaire qui en avait marre de rester dehors et avait envie d'un café ?

De toute façon, elle ne le laisserait pas entrer avant d'avoir vérifié sa carte.

Elle avait vu ça au cinéma, et, en général, demander la carte suffisait à chasser les importuns.

Le cœur de Viviane se serra un peu.

Et si c'était ?...

Mais non, il n'avait jamais attaqué personne dans un appartement. La fillette entrebâilla la porte, laissant la chaînette de sûreté.

L'homme qu'elle entrevit ne lui parut pas être un policier.

Du moins, il ne ressemblait pas du tout à ceux qui les avaient protégés, elle et Altaïr, tout au long de la semaine précédant les vacances. Il était sensiblement plus âgé et affichait un air grave et sévère.

– Euh... vous êtes Viviane Duchamp ?

– Ben... oui...

– Vos parents sont là ?

Viviane poussa un petit soupir.

Décidément, ce type ne lui inspirait aucune confiance.

Elle eut un peu peur.

Il connaissait son nom.

Bon, il était inscrit sur la porte... mais son prénom ?

Elle voulut repousser la porte.

L'homme l'en empêcha.

– Écoutez... ne fermez pas. Je dois absolument joindre vos parents... votre frère...

– Altaïr ? Quoi ? Qu'est-il arrivé ?

– Il... ce n'est pas très grave... Il était avec un copain, il a été renversé par une voiture et...

Viviane sentit la panique l'envahir.

– Altaïr ! C'est pas possible... il n'est pas...

La voix de l'homme se fit rassurante.

– Non, je vous jure que non. Ce n'est pas très

LA FILLETTE ENTREBÂILLA LA PORTE.

grave… Son copain est avec lui, il m'a donné votre adresse et… Je dois prévenir vos parents… Si vous pouviez me laisser…

La méfiance revint au triple galop, balayant l'inquiétude.

– Euh… je…

– Donnez-moi au moins leurs coordonnées de boulot… je téléphonerai d'un bar.

Viviane se décida à ouvrir la porte.

S'il avait vraiment voulu entrer, l'homme aurait certainement été plus insistant.

Il pénétra dans l'appartement, refermant soigneusement la porte derrière lui.

– C'est pas grave, alors ?

– Non… j'étais là et… Non, ce n'est pas grave. Ça, ce n'est pas grave.

Il se retourna brusquement vers Viviane.

Son visage compatissant quelques secondes auparavant était déformé par la haine.

– Non, ça, ce n'est pas grave.

La voix était sourde et menaçante.

Le cœur de Viviane battit à grands coups dans sa poitrine.

Dieu qu'elle était stupide !

Se faire piéger comme ça !

L'inconnu barrait la porte.

Viviane bondit vers le téléphone.

L'homme fonça sur elle et la renversa d'un coup de poing.

Étourdie, la petite fille entraîna le téléphone dans sa chute.

Elle vit avec horreur l'homme s'avancer vers

elle, les mains tendues, prêtes à frapper, un ignoble rictus de satisfaction aux lèvres.

– Tu vas être punie, murmura-t-il doucement.

Alors Viviane le reconnut brusquement et se mit à hurler de terreur.

***

– Ça t'embête si on prend le métro ?

Le visage d'Altaïr est décomposé. Je ne l'ai jamais vu dans cet état.

– Qu'est-ce qu'il y a ? Tu es malade ?

Je ne vois pas d'autre raison qui puisse lui faire prendre le métro.

– Non... je ne me sens pas bien, mais... c'est pas physique... Je suis mal... tu comprends ?

– Tu veux qu'on prenne un tax' ?

– Tu rigoles ! Avec la circulation, on arrivera chez moi à dix heures du soir... Le métro, ça ira plus vite.

– Mais qu'est-ce que tu as ?

– Je ne sais pas ! Je peux pas t'expliquer ! Faut qu'on rentre. Voilà... faut que je rentre.

Je crois que je devine la raison de son malaise.

– Tu veux qu'on téléphone à Viviane ?

– Oui !... non... non... Elle se demanderait pourquoi... J'ai pas à l'inquiéter avec mes conneries.

– D'acc'. On rentre.

Nous nous acheminons vers la station Vaugirard.

Pour qu'Altaïr insiste pour prendre le métro tout de suite au lieu d'aller à Montparnasse à pied, il doit être sacrément pressé. Lui qui a horreur des changements.

De sombres pensées semblent l'agiter, et je n'ose pas le questionner. J'essaie d'empêcher mes propres pensées et mon angoisse.

Pas d'affolement.

Il n'a rien pu arriver à Viviane.

Le flic dépêché par Bernard doit être tranquillement en train de monter la garde.

Une rame de métro passe juste comme nous arrivons sur le quai.

Bêtement, au changement à Montpar', nous perdons notre ange gardien.

Altaïr, les yeux rivés sur le sol, garde un silence tendu.

Nous déboulons au pas de course sur la Place d'Italie, Altaïr n'ayant pas la patience d'attendre le changement qui nous mènerait à Censier-Daubenton.

Jamais la rue de la Clef ne m'a semblé aussi lointaine.

N'empêche, en dévalant l'avenue des Gobelins et en passant par les petites rues, on atterrit enfin devant l'immeuble d'Altaïr. Mon ami jette un regard fébrile autour de lui, avant de pousser la porte.

– Où il est, le flic ?

Je regarde autour de moi et ne distingue personne.

Mais au fond, c'est plutôt normal.

– Ben... je suppose qu'il est planqué quelque part.

– Ah oui ! Tu dois avoir raison.

– Ce qui est con, c'est d'avoir largué le nôtre !

– Il n'avait qu'à courir plus vite ! Se faire semer comme ça ! On est bien protégés !... Merde ! Tu es sûr que celui qui devait faire gaffe à Viv' est là ?

– Mais oui... B.B. a juré qu'il envoyait quelqu'un.

Nous volons presque dans l'escalier.

Clef dans la serrure.

Altaïr s'adosse quelques secondes à la porte et tente de retrouver un souffle normal.

– Je vais l'affoler si je rentre comme ça, au bord de l'apoplexie.

Elle doit être en train de bouquiner, tout simplement.

C'est vrai.

Tout est calme.

Nous sommes deux imbéciles nous être paniqués comme ça.

Altaïr entre le premier dans l'appartement.

– Viv', c'est nous.

Je m'attarde une fraction de seconde dans le couloir,

espérant tout de même repérer le flic gardien de Viviane.

J'entends une espèce de hoquet et me précipite vers l'appartement.

Maintenant, je sais ce qu'est l'enfer.

Altaïr est debout, au milieu du salon, les jambes légèrement écartées, les bras ballants, la tête un peu penchée.

A ses pieds, le corps étendu de Viviane.

Autour d'eux, des chaises renversées, des bibelots cassés, le téléphone aux fils arrachés dans un coin.

Et de la farine partout.

Jusque sur Viviane.

Altaïr tourne lentement la tête vers moi, le visage gris et défait, et me fixe de ses yeux vides.

– Elle est morte, annonce-t-il d'une voix cassée.

Puis il se laisse glisser à genoux près d'elle.

J'hésite entre ficher le camp en hurlant pour ameuter la population, et surtout cet enfoiré de flic qui a laissé assassiner Viviane, et rebrancher le téléphone pour avertir la police.

Je ne peux pas abandonner Altaïr.

Par chance, le téléphone marche et Bernard est encore dans son bureau.

– Bernard... Rapplique. Il a tué Viv'.

Ma voix sonne bizarrement creux, comme si elle ne m'appartenait pas.

Je ne laisse pas à Bernard le temps de me

questionner et raccroche aussitôt qu'il m'a entendu.

Je m'approche d'Altaïr.

Il ressemble à une statue de douleur.

Pour un peu, j'aurais l'impression qu'il ne respire même pas. Mais je sais bien qu'il n'est pas une statue.

Viviane est allongée sur le ventre, ses mains agrippent désespérément des fils du tapis.

Agrippaient.

Le type a dû la frapper comme un fou, parce qu'elle saigne d'un peu partout.

Et le sang se mélange à la farine.

Mon Dieu ! Ça vient juste d'arriver !

A quelques secondes près...

Mais on n'était pas là.

On n'était pas là.

Altaïr caresse machinalement les boucles de Viviane.

Il n'y a que sa main qui bouge, comme détachée de son corps.

L'étrange fixité d'Altaïr m'empêche de me laisser aller comme je le voudrais à hurler ou à frapper les murs.

J'en veux à la terre entière d'avoir laissé mourir Viv'.

Faut... faut que je me reprenne.

– Altaïr ?

Le même regard vide que quelques minutes auparavant se pose sur moi.

– Elle est morte... Il l'a battue et elle est morte.

Altaïr a dû avoir cette voix-là à cinq ans.

Oh, non ! Ne deviens pas fou, Altaïr ! Je t'en supplie ! Sinon il aura gagné. Il t'aura tué aussi !

Je sens des larmes dégouliner le long de mes joues et j'essaie d'ignorer les yeux froids et secs de mon ami.

– Altaïr ! Merde ! Réponds-moi !

Mon cri a résonné d'une façon presque incongrue dans l'appartement.

– Altaïr,... je t'en prie... je t'en prie !

Je ne sais pas quoi balbutier d'autre, ni faire autre chose que m'agenouiller et prendre le corps immobile d'Altaïr entre mes bras tremblants, pour le réchauffer un peu à ma vie.

Et puis, continuer à pleurer en le suppliant de je ne sais quoi. Et enfin, au bout d'un temps qui me semble infiniment long, les sanglots de mon ami répondent aux miens, comme un écho.

Nous restons là, auprès de Viviane, à pleurer comme deux petits veufs abandonnés.

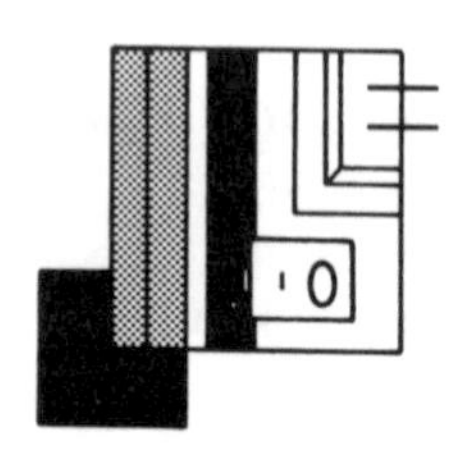

MON DIEU ! ÇA VIENT JUSTE D'ARRIVER !

MONSIEUR MARTIN

– Viens, je te ramène chez toi.

– Tu pourras rester jusqu'à ce que quelqu'un rentre ? Je ne me sens pas du tout de rester seul.

– Bien sûr.

Bernard me prend par les épaules et m'entraîne hors de l'appartement d'Altaïr.

Tout se bouscule un peu dans ma tête.

Bernard s'est radiné au plus vite avec un bataillon de flics et un médecin légiste.

Celui-ci a gentiment écarté Altaïr, cramponné à sa sœur, et a rapidement examiné Viviane après l'avoir retournée avec douceur.

A ce moment, on a cru au miracle, parce qu'il a annoncé qu'elle vivait encore.

Et puis, on s'est rendu compte que le miracle n'était pas vraiment au point. Parce qu'il a ajouté qu'elle était dans un coma profond et qu'il ne fallait pas espérer grand-chose.

En tout cas, dans les cinq minutes, une foule

de mecs en blanc a envahi l'appartement et emporté Viv' sur une civière, avec plein de tuyaux partout et de l'oxygène.

Et puis les parents de mes amis sont arrivés, et Bernard les a fait accompagner à Necker, où l'on avait emmené Viviane.

Altaïr les a suivis.

Comme un automate.

Et maintenant, c'est à notre tour de partir.

– Tu sais,... il... il aurait pu prendre des gants, ce toubib de merde, au lieu de dire qu'elle était à moitié fichue, Viv'... C'était pas la peine de nous donner de l'espoir pour le reprendre aussitôt ! Surtout à Altaïr.

Et je pense à la lumière qui avait fait fugitivement rayonner et revivre le visage d'Altaïr quand il a appris que sa sœur était vivante.

Et puis, à l'annonce du coma dont elle ne s'éveillerait peut-être pas, il s'était à nouveau renfermé dans sa détresse, ne prêtant même pas attention à celle de ses parents.

– C'est vrai... il a été maladroit. Il est un peu dur parfois, reconnaît Bernard.

Je jette un dernier coup d'œil au salon.

Des flics s'activent à la recherche d'empreintes digitales, de taches de boue, ou de quelques cheveux qui pourraient les mettre sur la piste.

Mais la farine renversée les gêne pas mal.

De toute façon, ils ne trouveront pas plus d'indices que pour les autres.

Ce type est décidément trop fort.

– On va tous y passer, n'est-ce pas ?

Bernard me serre un peu contre lui.
– Non, Rémi... ne dis pas ça... Allons, on s'en va maintenant.

***

M. Martin s'estimait satisfait.
Bien sûr, cela avait été plus difficile que les autres fois, mais cela avait été en même temps plus excitant.
D'abord parce qu'il avait eu plus de temps.
Pour les autres, il avait dû agir vite, avec une précipitation et une hâte qu'il n'appréciait pas. Cette fois, cela avait été bien plus intéressant.
Il avait vraiment pu punir.
Et il était presque certain que la fillette l'avait reconnu.
C'était très bien ainsi.
Elle savait pourquoi elle avait été châtiée.
Et il avait pris vraiment beaucoup de plaisir à la frapper ainsi qu'elle le méritait.
Il ne pouvait pas vraiment dire pourquoi il avait ensuite saupoudré la pièce et le corps de la petite fille de farine.
Cela avait été une inspiration soudaine, quand il avait aperçu le paquet alors qu'il se lavait les mains, dans la cuisine, parce que la porte était ouverte et qu'il préférait éviter les salles de bains inconnues.
Peut-être avait-il cédé à l'impulsion de se faire reconnaître par l'autre.
Par celui qui méritait le châtiment le plus terrible.

Pour qui il se montrerait plus impitoyable encore.

M. Martin essuya minutieusement les boutons du téléviseur, appuya sur la mise en marche, puis alla se laver les mains et revint s'installer devant le poste.

Il avait hâte d'écouter ce qu'on disait de lui aux informations.

***

– Tu penses qu'il avait raison, le toubib, de dire qu'elle... enfin, qu'elle ne s'en sortira pas ?

Edmée me regarde d'un air navré et sirote lentement le cocktail que lui a préparé François.

– Je ne sais pas, Rémi... Ça dépend des lésions.

– Elle doit en avoir pas mal alors ! Parce que ce salaud, il l'a frappée pour la tuer ! Si tu avais vu son visage... Quand le toubib l'a retournée... j'ai failli ne pas la reconnaître ! Pas reconnaître Viviane, tu comprends ?... Et... il y avait du sang partout... Elle a dû se cogner plusieurs fois et...

– Essaie de ne plus y penser, le mioche, intervient doucement François.

Il est rentré avec Edmée presque en même temps que les parents.

Bernard leur a expliqué ce qui s'était passé et s'est éclipsé rapidement.

Il a du boulot.

François, pour essayer de détendre un peu l'atmosphère, s'est attelé à la fabrication de ses super-cocktails.

Je pense que le mien doit être particulièrement savoureux, mais je ne suis pas en mesure de l'apprécier.

– C'est pas facile, François.

– Je m'en doute.

Papa tire quelques bouffées de sa pipe.

– Hum... et que va faire Bernard, maintenant ?

– Comment ?

– Eh bien pour te protéger, toi et Altaïr et Flavien et Juliette, c'est ça ? L'assassin a l'air prêt à tout et je ne tiens pas à ramasser tes morceaux.

– Oh ! P'pa...

– Si B.B. n'est pas fichu de te protéger, je le ferai, moi... euh... je peux très bien larguer le cabinet pendant quelques jours...

– Tu me lâcherais pas d'une semelle alors ? Et puis, François et Maman pourraient prendre le relais, et... ça finirait quand ? Ça finirait quand ? ! ?

J'ai presque crié.

Maman s'est approchée de moi et me caresse tendrement les cheveux.

– C'est pas vraiment une solution... Ce qu'il faudrait, c'est que B.B. épingle ce type.

– Eh bien il n'en prend pas le chemin ! rétorque Papa.

– Tu es injuste, Fabrice. Ce n'est pas très facile pour lui... ni pour nous... Et Altaïr, Rémi ? Comment va-t-il ?

J'essaie d'expliquer, autant que je le peux, les réactions de mon ami.

Edmée fronce les sourcils.

– Il a l'air d'avoir été salement remué... C'est vrai que c'est sa sœur... jumelle en plus... J'espère qu'un toubib va pouvoir s'occuper de lui, et ses parents aussi... Enfin, c'est horrible ce qui est arrivé à Viv', mais... il existe, lui aussi.

– Ouais... je comprends... Tu... tu veux dire qu'il faut pas le laisser tomber, c'est ça ?... Parce que Viviane, plein de blouses blanches s'en occupent ?

– Oui, c'est à peu près ça, Rémi.

– O.K... message reçu... Mais tu ne pensais quand même pas sérieusement que... enfin, que j'allais pas... et que j'allais l'oublier !

– Non... j'essaie de te dire qu'il a vraiment besoin de ses amis, en ce moment...

– Ouais... je vais l'appeler, maintenant.

Grâce à Maman qui a fini par craquer et aller chercher un téléphone normal, je peux téléphoner à Altaïr du salon.

En présence des autres.

C'est la mère d'Altaïr qui me répond.

Mon ami est au pieu avec une méga-dose de sédatifs donnés par un toubib.

Elle me dit encore que les médecins ne peuvent pas se prononcer sur l'état de Viviane.

Je sens qu'elle ne va pas pouvoir retenir ses larmes longtemps, et, lâchement, je lui passe Maman.

***

Le rythme cardiaque de M. Martin s'accéléra. Ce stupide journaliste osait affirmer que la gamine n'était pas morte, mais simplement dans un coma profond et qu'elle avait été transportée à l'hôpital Necker.

Impossible !

Il avait pourtant frappé de toutes ses forces.

Il regretta fugitivement de ne pas lui avoir brisé la nuque, par précaution.

Puis le cœur de M. Martin se remit à battre à une vitesse normale.

Un coma profond, cela voulait dire beaucoup de choses.

Et en particulier que la fillette n'était plus qu'un légume.

M. Martin étira ses lèvres en un léger sourire.

Après tout, c'était peut-être une vengeance encore plus terrible que la mort.

Dans ce coma, il vit encore un signe d'approbation de la mission dont il s'était chargé.

Il se leva, essuya encore les boutons du téléviseur, l'éteignit et retourna se laver les mains.

A cause du coma, il devait cependant réfléchir. Il devait peut-être changer de plan.

S'occuper en premier lieu du vrai responsable. Au fond, il devait être bien assez effrayé comme ça.

Oui, il devait avoir peur.

Très peur.

Mais pas encore assez.

Et puis, les autres…

Ceux qu'il avait déjà tués, M. Martin les considérait comme victimes d'une légitime justice, la sienne.

Il les avait tués presque par hasard.

Les signes, encore.

Mais lui. Le coupable.

Il devait payer encore plus cher et plus sûrement que les autres.

La mort, la simple mort ne suffirait pas.

Il lui fallait quelque chose de plus.

Bien sûr, ce quelque chose, M. Martin l'avait en partie prévu, mais cela ne lui suffisait plus.

Décidément, ce coma était une bonne chose.

A cause de lui, une idée se mit à germer dans le cerveau de M. Martin.

Il entrevoyait un excellent moyen de faire souffrir ce maudit pécheur.

Un moyen très simple et efficace.

Le remords.

Oui, avant de mourir, le coupable devait expier.

M. Martin essuya le clavier de son minitel et composa le numéro de l'annuaire.

LE JUMEAU

Primitivement, la famille avait projeté de passer le week-end de Pâques à Aix en Provence, chez des cousins.

Au départ, Bernard avait trouvé que c'était plutôt une bonne idée, estimant que j'avais besoin de me changer les idées ; je supposais que l'assassin ne s'épuiserait pas à me suivre là bas.

Mais, depuis, Viviane avait été attaquée et je ne pouvais pas imaginer d'abandonner Altaïr.

Faisant contre mauvaise fortune bon cœur, les parents s'étaient accommodés de ce changement de programme.

Maman avait déclaré qu'au fond partir l'emmerdait plutôt et qu'elle avait quelques toiles qui palpitaient au bout des pinceaux ; Papa avait annoncé qu'il avait depuis bien longtemps envie de ranger sa collection de timbres, et François se disait heureux de rester à Paris puisque Edmée était de garde à l'hosto.

Bref, pour un peu j'aurais pu croire que ce

week-end en Provence était une corvée pour tout le monde !

Sympas, les cousins avaient compris qu'on préférait ne pas venir et avaient réitéré leur invitation pour la Pentecôte.

Alors, j'essaie de voir Altaïr le plus souvent possible.

Ce qui arrange plutôt Bernard.

Il trouve plus facile de nous protéger quand on est ensemble.

En vérité, je me demande si je fais bien de jouer les pots de glu auprès d'Altaïr.

Ma présence semble lui peser, et en général nous n'échangeons pas dix mots dans un après-midi.

Ce qui me change sacrément d'avant.

Avant, Altaïr était un vrai moulin à paroles, toujours joyeux et prêt à faire les conneries les plus folles.

Mais ça, c'était avant que Viviane ne se retrouve en réanimation par la faute d'une ordure.

Ça fait à peine trois jours, et ça me semble déjà une éternité.

La mère d'Altaïr passe ses après-midi auprès de Viviane, guettant le moindre battement de cils, le plus infime frémissement de peau de sa fille.

Et elle revient chaque soir de l'hôpital triste et découragée.

Et repart le lendemain, le cœur empli d'un fol espoir.

Le père d'Altaïr la relaie, ce qui fait que mon ami se retrouve assez seul.

Alors, je lui tiens compagnie.

Du moins, j'essaie.

Je crois bien que je ne sers pas à grand-chose.

Altaïr s'enferme dans son silence comme dans un cercueil.

Enfin... je dois quand même l'aider un petit peu, parce que, lorsque je lui demande s'il préfère que je parte, il me demande de rester près de lui, et s'excuse de son mutisme.

Comme si je pouvais lui en vouloir !

***

Altaïr raccrocha brusquement.

Il avait reconnu la voix de l'homme qui l'avait appelé la veille pour lui dire des choses si horribles qu'il en avait eu des cauchemars toute la nuit.

Il n'avait pas voulu en parler à ses parents, parce qu'ils avaient déjà assez de chagrin et de soucis à cause de Viviane, mais il avait décidé de ne plus écouter l'homme s'il rappelait.

Il y avait vraiment des salauds qui prenaient plaisir à profiter du malheur des autres.

– C'était un policier ?

– Non, M'man, un... en fait, une erreur.

– Bon... J'y vais... Si tu veux manger, il y a de la salade et du fromage, et puis...

– Ça ira, ne t'inquiète pas... Euh, tu l'embrasses très fort pour moi, n'est-ce pas, et...

tu lui expliques que je ne peux pas venir parce que c'est interdit aux enfants et... enfin, tu sais, quoi... Je suis sûr que, au moins, elle entend. Même si... elle bouge pas.

Agnès Duchamp déposa un léger baiser sur le front de son fils et se hâta vers l'hôpital Necker.

Elle était à peine sortie que le téléphone sonna à nouveau.

Altaïr poussa un long soupir et décrocha.

La voix qu'il redoutait se fit entendre.

– Tu es là, n'est-ce pas ? Je sais que tu es là, et que tu écoutes. Tu es un sale petit gamin, n'est-ce pas ? Une petite ordure, et ta sœur aussi. Elle n'a eu que ce qu'elle méritait...

– Mais qu'est-ce que vous me voulez ? ! ? Fichez-moi la paix, bon Dieu !

– Tu as peur ? C'est bien. Tous les sales gosses comme toi devraient avoir peur. Tu n'es qu'un...

Altaïr raccrocha rageusement.

Il en avait assez entendu.

C'était déjà presque plus qu'il ne pouvait en supporter.

Il débrancha la prise du téléphone.

Puis, au bout de quelques minutes, la remit.

Quelqu'un pouvait appeler.

Sa mère, de l'hôpital.

Ou Rémi.

Aussitôt, le téléphone se remit à sonner.

***

– Bon Dieu de bordel de merde ! explosa Bernard Brunaud.

Il considéra attentivement les gars du labo.

– Et vous n'avez rien trouvé ! Rien ! ? !

– Écoute, B.B., les empreintes, ça n'a donné que dalle depuis le début. Et les cheveux,... tu es content qu'on t'apprenne qu'ils sont bruns et secs, très souvent lavés ? Et que la poussière des chaussures est parisienne à cent pour cent ? Tu es vraiment content de savoir ça ?

Bernard claqua nerveusement des doigts.

– Bon, la poussière...

– On peut te dire que le mec marche beaucoup, et qu'il a été récemment au Luxembourg, quand il a plu... C'est la même terre. Il y avait quelques particules.

– Génial ! C'est un Parisien brun, qui aime la marche... C'est fou ce que vous m'aidez, les gars !

– La plus belle fille..., commença Jacob Meyer.

– O.K. J'ai compris. Je leur en demande trop... Mais, bon sang, je leur demande juste de faire leur boulot !

Les deux policiers du laboratoire échangèrent des regards consternés avec l'inspecteur Meyer.

Le plus jeune toussota.

Cela faisait trois jours que B.B. les persécutait parce qu'ils n'avaient rien découvert.

Et en fait, il n'y avait rien à découvrir.

Cependant, il avait refait certaines analyses. Parce que des mômes qui se faisaient trucider, ça le révoltait plus que tout.

Il venait d'avoir un petit garçon qu'il considérait comme la huitième merveille du monde et comprenait l'acharnement de Bernard à retrouver le meurtrier des enfants.

– Euh... il y aurait juste un truc, mais... je doute que ça serve à quelque chose...

Bernard haussa un sourcil vindicatif.

– Bon, ça va, les préliminaires. Vas-y !

– C'est une particule de peau, la petite a dû s'agripper à lui pour se défendre et... Bon, ce type, il doit passer son temps à se laver, et...

– Oui, eh bien, moi aussi, je me lave, figure-toi ! coupa hargneusement Bernard Brunaud.

– Je n'en doute pas, mais ça m'étonnerait que tu te décapes à l'eau de Javel, rétorqua dignement le laborantin.

– Et tu as attendu trois jours pour me le dire ! Bravo ! Enfin... mieux vaut tard que jamais... Euh... dans quel genre de boulot est-ce qu'un mec peut se laver à l'eau de Javel ? Faut me trouver ça, Jacob... Euh... merci, les gars, et... m'en voulez pas trop...

– Ça va, B.B. Tu nous paieras un pot quand t'auras arrêté ce salaud.

– Promis !

***

M. Martin était de plus en plus satisfait. Sa vengeance s'annonçait bien.

Vengeance n'était d'ailleurs pas le mot qu'il employait.

Vengeance avait une connotation personnelle qu'il lui répugnait d'admettre.

Il préférait « mission ».

Il avait été investi d'une mission, et la menait à terme, tout simplement.

Le coupable serait bientôt châtié.

Définitivement.

Mais en attendant l'ultime punition, il devait encore souffrir. Après l'avoir comme d'habitude soigneusement essuyé, M. Martin décrocha son téléphone et composa le numéro qu'il connaissait par cœur.

***

– Tu veux répondre, Altaïr ?

Le petit garçon déglutit péniblement.

– Euh...

– Je t'en prie... Je suis fatigué, j'ai veillé Viv' toute la nuit et je dois retourner bosser...

– D'accord... j'y vais.

Comme il s'y attendait, la voix redoutée retentit à ses oreilles dès qu'il eut décroché.

– Alors, petite ordure, comment va ta garce de sœur ? Elle n'est pas encore crevée, cettepetite sal...

Altaïr raccrocha brusquement.

Il n'essayait même plus de supplier l'homme de cesser ses appels.

– C'était qui ?

– Une erreur, P'pa.

LA VOIX REDOUTÉE RETENTIT À SES OREILLES
DÈS QU'IL EÛT DÉCROCHÉ.

– Ah bon… Encore heureux que ça n'ait pas réveillé ta mère. Elle est épuisée.

– Je sais.

– Tu devrais essayer d'être un peu plus gentil avec elle… Elle est très malheureuse.

– Mais… je sais ! Et moi…

– Toi, tu es jeune… et puis tu n'es que le frère de Viviane ; elle, c'est sa mère.

Altaïr suffoqua.

Mathieu Duchamp se rendit compte qu'il avait été maladroit, bête et injuste comme on peut l'être parfois quand on a mal.

Il tapota la joue de son fils.

– Excuse-moi, Altaïr,… Je suis stupide. Mais je suis fatigué. Tu me pardonnes ?

– C'est rien, P'pa… Je comprends…

– Tu devrais te reposer un peu… ou te changer les idées… Va au ciné avec Rémi… C'est pas parce que tu te morfonds que Viv' guérira plus vite… si elle guérit.

– Oh ! dis pas ça, Papa ! Je t'en prie…

– Bon, j'y vais… A ce soir.

– A ce soir.

Altaïr referma soigneusement la porte derrière son père.

Il se sentit plus seul que jamais.

Il avait l'impression de sombrer dans un abîme sans fond dont il ne sortirait jamais.

Si seulement cela avait pu être lui que le meurtrier avait attaqué et pas Viviane !

La sonnerie qu'il haïssait résonna à nouveau. Il se précipita pour décrocher. Il ne voulait pas réveiller sa mère.

– Alors, comme ça on raccroche ?... Ce n'est pas très poli... Dis-moi, petit, tu ne crois pas que tes parents vont te détester en te voyant tellement vivant, alors que ta sœur n'est plus qu'un légume ? Qu'est-ce que tu penses de ça, petit jumeau ?

– Je vous en prie...

– Et elle pourra même pas tenir dans un fauteuil roulant...

Altaïr n'en encaissa pas plus.

Il raccrocha.

Il alla dans la salle de bains et contempla longuement son visage, si semblable à celui de sa sœur.

Il se griffa brusquement la joue, jusqu'au sang.

Puis il se mit à sangloter.

L'ABSENT

– Tu crois qu'il guérira ?

Maman pousse un petit soupir.

– Je ne sais pas. J'espère.

– Bernard a dit qu'un psycho-machin devrait s'occuper de lui... mais s'il ne veut pas, on ne peut pas le forcer, n'est-ce pas ? Et puis, il s'en sortira peut-être tout seul, dis ?

Maman pousse un deuxième soupir, un peu plus prononcé celui-là, et me donne le plateau sur lequel sont posés deux bols remplis de tisane.

Depuis le week-end de Pâques, Altaïr habite chez nous.

Les interrogatoires de Bernard, les visites plus ou moins charitables des voisins et de certains amis, les continuelles allusions au coma de Viviane ont eu raison de lui.

C'est-à-dire qu'il a laissé la sienne se débiner pour s'enfermer dans un monde où personne ne rentre.

Sauf moi, de temps en temps.

A ces moments là, il redevient l'Altaïr que je connais.

Un docte médecin l'a examiné et a déclaré qu'il avait reçu un choc émotionnel.

On s'en était aperçus sans lui !

Il a ajouté que cet état ne devrait pas durer trop longtemps, et que ce qu'il fallait à Altaïr, c'était du calme.

Totalement impossible chez lui, entre les flics et les divers visiteurs qui ne venaient que pour parler de Viv'.

C'est Maman qui a proposé à Mme Duchamp qu'Altaïr vienne un peu chez nous, s'il le voulait.

Les parents d'Altaïr ont accepté avec empressement la proposition de Maman.

Je crois bien que c'est parce qu'ils n'arrivaient plus à assumer Viviane dans le coma, et Altaïr, de plus en plus « absent » chaque jour.

Je crois aussi qu'ils ne se sentaient pas capables de donner à Altaïr le calme et même l'affection dont il a besoin, trop occupés qu'ils sont de leur propre détresse.

Altaïr voulait bien venir chez nous.

Alors, depuis deux jours, il fait partie de notre famille.

Le premier soir, on l'a installé dans la chambre d'ami, et il a eu un cauchemar épouvantable. Comme il avait trop peur de dormir seul, on a aménagé un lit de fortune dans ma chambre.

– Je pense quand même qu'il va un peu

mieux, ne puis-je m'empêcher de souligner à Maman, avant de sortir de la cuisine, chargé de mon plateau.

C'est vrai.

La nuit dernière, il a dormi paisiblement.

Donc, il commence à s'en sortir.

Altaïr me décoche un magnifique sourire dès mon entrée dans la chambre.

J'avais presque oublié qu'il pouvait sourire ainsi.

Il me rappelle Viviane.

Et je me dis que ce doit être horrible pour lui de simplement se regarder dans un miroir, parce qu'il y retrouve, à peu de détails près, le visage de sa sœur jumelle.

Je lui tends un bol de tisane.

– Merci... Tu me prépares une belle vieillesse.

– Mais c'est très mode, la tisane ! C'est plus du tout pour les petits vieux dans les hospices. Maintenant, on se fait une tisane le soir chez tous les branchés, les câblés, les in, les... euh...

– T'es en panne de synonymes ?

– Oui... Ça va ?

– Je vais...

Son visage se fige lentement.

Oh non ! Altaïr, ne te renferme pas... Je t'en prie, reste avec moi !

– Faut bien que j'aille, n'est-ce pas... Je n'ai pas à me plaindre... je ne suis pas dans le coma, moi !... Je... je crois que j'ai peur de rentrer chez moi.

– Mais tu sais bien que tu peux rester ici tant que tu veux !

Un sourire très triste orne les lèvres d'Altaïr.

– Vous n'allez quand même pas me garder jusqu'à ma majorité... et puis, j'ai des parents... aussi.

Un silence qui pèse des tonnes s'installe dans la chambre.

Altaïr et moi buvons notre tisane à petites gorgées.

– Je n'ai pas dû être drôle ces derniers temps... pardonne-moi.

– Mais je... personne ne t'avait demandé d'être drôle.

– Je sais. Vous êtes tous tellement gentils et patients avec moi, je vous en remercie... je t'en remercie.

– Ben, on a peur... euh, on a eu peur pour toi.

Altaïr baisse la tête.

– Moi aussi.

Re-silence.

C'est vrai qu'on a eu très peur, tout au long de la semaine dernière.

On pensait tous qu'il allait craquer...

Peut-être à cause de la griffure qu'il porte sur le visage et qu'il a dit s'être fait par accident.

Et puis, parfois, il redevenait comme avant...

En étant quand même tristounet, bien sûr, parce qu'il pensait tout le temps ou presque à Viviane, mais il n'avait plus ce visage d'absence qui m'effraie un peu.

C'est ça le plus déroutant avec lui.

Parfois il est complètement présent, et puis, brusquement, à nouveau l'absence, comme si on avait devant soi une statue de pierre et pas un petit garçon bien vivant.

– Explique !

Je redresse la tête.

Envahi par mes sombres pensées, je m'étais affalé sur mon lit.

– Quoi ?

– Oui ! Où il était cet abruti de flic qui était supposé veiller sur Viviane ?

– Euh… planqué, pas loin. Il n'a pas spécialement fait gaffe aux gens qui entraient ou sortaient… Il s'attendait plutôt à voir quelqu'un qui aurait fait le guet, à l'extérieur.

– C'est vrai ! Viv' a innové dans la série. Elle a inauguré le genre meurtre à domicile !

Le ton amer d'Altaïr me bouleverse.

– Il a dû l'apercevoir, ce type, après qu'il a… qu'il a battu Viv' et… il n'a même pas compris ce flic de merde !

Une perle d'eau brille au coin de l'œil droit d'Altaïr.

– Quand je pense qu'on voulait l'attendre pour qu'il prenne le relais… notre relais…

Et je me souviens que nous avions proposé à Viviane d'attendre avec elle le policier, pour nous assurer que rien ne pourrait arriver, et de demander au flic de monter à l'appartement. Viv' avait éclaté de rire et nous avait ordonné de partir pour ne pas rater le début du film.

Et nous l'avions écoutée...

Mon ami ferme les yeux et s'adosse contre le mur. Des larmes roulent librement le long de ses joues.

Je me retiens à grand-peine de pleurer aussi. Je suis pas doué pour remonter le moral des troupes.

– Tu crois que mes parents me pardonneront ?

Il me faut quelques secondes avant de comprendre le sens de sa question.

– Mais te pardonner quoi ? C'est ma faute aussi... J'aurais pas dû insister pour aller voir le film ce jour-là... et puis Bernard aurait dû se méfier encore plus du meurtrier, et...

Mon ami secoue doucement la tête.

– Non, c'est pas ça... Je veux dire... tu crois qu'ils pourront me supporter, moi..., moi vraiment vivant alors que... Viv' est... est un légume ! Moi avec ses traits et puis souvent ses gestes... Je ne... suis pas encore près de muer, enfin pas tout de suite... Je lui ressemble tellement ! Tu crois qu'ils ne vont pas me haïr ?

– Oh ! Altaïr !... non... dis pas ça !

Je suis tellement abasourdi par ce qu'il vient de me confier qu'il me faut un petit moment avant de pouvoir vraiment lui répondre. Et encore, je ne trouve qu'une question à lui poser.

– Ta joue, l'écorchure, c'était pas un accident, n'est-ce pas ?

– Non... non, je l'ai fait exprès... Je... je ne me supportais plus, je... Et Viv' ? Tu crois qu'elle m'en veut, elle ? Peut-être qu'elle ne peut pas parler, ni bouger... mais qu'elle sait que moi je parle, que je bouge... et...

J'ai une autre question à poser.

– Mais, Altaïr, qui t'a fichu ces idées dingues dans la tête ?

Il se contente de hausser rageusement les épaules.

– C'est pas des idées dingues !

Puis son regard se voile à nouveau, et Altaïr redevient absence.

Il ne me reste plus qu'une chose à faire.

– Bonne nuit, Altaïr, murmuré-je en éteignant la lumière.

***

M. Martin réprima un sourire.

Il avait obtenu ce qu'il voulait.

Ce sale gamin avait cru le feinter en allant habiter chez son ami.

Eh bien, il allait voir qu'il s'était trompé !

Il ne pourrait pas échapper à son destin.

Maintenant, tout était prêt.

Le châtiment l'attendait.

A présent, M. Martin pouvait mettre en place le piège qui lui permettrait de punir le coupable.

***

Sans trop savoir pourquoi, Bernard Brunaud avait la ferme certitude que les événements allaient se précipiter.

C'était bien plus qu'une légère intuition.

Plutôt une sourde angoisse qui lui faisait craindre le pire pour Altaïr Duchamp, ou Rémi Gauthier. Pas les deux autres.

Alors, il talonnait ses hommes pour trouver ne fût-ce qu'un début de piste.

– Et c'est tout ce que vous avez à me dire ?

Ludovic Legendre tortilla sa moustache.

Il travaillait depuis peu au commissariat du cinquième et n'était pas encore habitué aux colères de B.B., qu'il appelait encore M. Brunaud.

Ses autres collègues se contentèrent de s'installer un peu plus confortablement dans leurs fauteuils, accueillant avec flegme les sarcasmes de leur patron.

– Alors voilà... ça fait deux jours qu'on bosse dessus, et tout ce que vous trouvez à me répondre, c'est que n'importe qui peut utiliser de l'eau de Javel. Merci du renseignement ! Vous allez peut-être me dire qu'en fait l'assassin est une femme de ménage !

L'inspecteur Legendre malmena de plus belle sa moustache.

Il avait peut-être une idée, mais ne savait pas trop si cela pouvait être utile.

Au fond, au point où l'enquête en était...

Jacob Meyer remarqua son trouble.

– Eh bien, Ludo, qu'est-ce qui t'arrive ? Si tu veux te débarrasser de ta moustache, vaut mieux des ciseaux ou un coiffeur.

– Euh... c'est à cause de l'eau de Javel. J'avais pensé... enfin, mon frère est étudiant en médecine, et il se spécialise en psychiatrie, et des fois on parle, et...

– Abrège ! coupa Bernard d'un ton rogue.

– Euh... ben, il existe des gens qui sont obsédés par la propreté, qui se lavent tout le temps, et... comme les types du labo ont dit que... le cheveu était d'une propreté exemplaire... et l'eau de Javel, j'ai pensé que... enfin...

Le commissaire Brunaud claqua des doigts.

– Pourquoi pas ? Je veux dire un barge... ça expliquerait pourquoi il attaque systématiquement les mômes du « clan des Sept »... Euh, il paraît que certains fous ont une logique particulière. Mouais... c'est à creuser... Eh bien, on va s'amuser comme des petits fous à courir les hôpitaux psychiatriques !... Hem, Ludo..., j'aimerais bien rencontrer ton frangin pour discuter un peu. C'est possible ?

– Oh oui ! Il doit être chez lui ce soir, M. Brunaud,... euh... B.B.

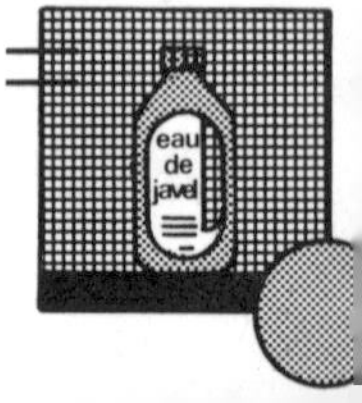

CULPABILITÉ

Altaïr cacha son visage entre ses mains et se mit à pleurer silencieusement.

Ce ne pouvait pas être possible.

Ce que l'homme venait de lui dire ne pouvait pas être vrai.

Ce serait trop terrible.

Mais l'inconnu ne s'acharnait pas ainsi pour rien.

Altaïr regretta amèrement de n'avoir rien dit des coups de téléphone à ses parents, ou à Rémi... ou même à Bernard Brunaud.

A présent, c'était trop tard.

– Ça ne va pas, Altaïr ?

Le petit garçon leva brusquement la tête vers Marie Gauthier.

– Non... c'est rien, ça va passer.

La mère de Rémi essuya les larmes qui avaient dégouliné le long de ses joues.

– Tu ne peux pas parler ?... Ou tu ne veux pas ?

– Je vous emmerde bien... euh... je vous ennuie bien assez avec mes problèmes.

– Mais tu ne nous ennuies pas du tout.

– Vous êtes gentille. Je crois que je devrais rentrer chez moi. Les cours reprennent lundi et...

– Passe encore le week-end avec nous... Enfin, si tu en as envie.

– D'accord.

– Tu veux un chocolat chaud ? J'ai envie de sucré... je crois qu'il fait un peu froid dans mon atelier.

– Oh ! oui ! Merci.

Marie alla dans la cuisine et s'affaira à la préparation du breuvage. Le chocolat chaud, le vrai, le noir fondu mélangé au lait entier était son péché mignon, au deuxième rang après le porto et les cocktails de François.

Seulement, dans la famille, elle était la seule à apprécier le chocolat chaud.

Comme elle n'aimait pas boire seule, et avait souvent la flemme de le préparer juste pour elle, elle en buvait rarement.

Fort heureusement, Altaïr, lui, était un vrai amateur de chocolat chaud.

Marie fit lentement fondre une plaquette de chocolat.

Altaïr semblait triste, mais pas absent.

Il n'avait pas voulu accompagner Rémi et François à Radio-Marmotte ; il préférait bouquiner.

Elle-même avait un tableau à terminer et s'était enfermée dans ce qu'elle appelait fièrement – et un peu pompeusement – son atelier.

ÇA NE VA PAS, ALTAÏR ?

Une petite pièce lumineuse – quand le soleil daignait se montrer – et assez confortable.

Son tableau fini, elle s'était dit qu'elle pourrait peut-être engager la conversation avec Altaïr, et elle l'avait trouvé en train de pleurer.

Un peu avant, elle avait entendu la sonnerie du téléphone.

Comme le petit garçon avait répondu, et ne l'avait pas appelée, elle en avait conclu que la communication devait être pour lui.

Son cœur battit un peu plus vite.

Et si c'étaient des nouvelles de Viviane ?

Mauvaises.

Non, il le lui aurait dit.

Altaïr la rejoignit dans la cuisine.

Il avait visiblement passé un peu d'eau sur son visage et semblait un peu mieux.

Il sortit des tasses et les posa sur la table.

– Il y a des biscuits dans le fond du placard... Euh... le coup de téléphone..., c'était au sujet de Viviane ?

Le visage d'Altaïr s'assombrit.

S'il pouvait seulement lui dire... mais il ne pouvait plus à présent.

C'était trop tard.

Définitivement.

– Non... juste une... ma tante Aline qui voulait me parler et... oui, elle m'a parlé de Viv' et des vacances qu'on avait passées chez elle... Vous croyez qu'il y aura un jour encore des vacances pour Viviane et moi ?... Non... ne répondez pas. Vous mentiriez… J'ai pas à poser ce genre de question.

– Oh !… Altaïr… Personne ne sait rien, pas même les médecins…

– Si ! Moi, je sais ! Viv' est morte ! Non ! C'est pire… c'est pire et c'est ma faute.

– Mais qu'est-ce que tu racontes ?

Altaïr se rendit compte qu'il avait trop parlé, et avait failli confier son lourd secret.

– Je n'étais pas là pour la protéger… Je n'étais pas là…

Marie Gauthier lui pressa affectueusement les épaules.

– Tu n'aurais peut-être rien pu empêcher, même si tu avais été là… Tu serais peut-être mort… et… Rémi aussi.

– Excusez-moi… Vous devez avoir raison… Je crois que je débloque un peu.

Marie secoua doucement la tête et entreprit de servir le chocolat chaud.

Altaïr décida d'accomplir un suprême effort.

Il avait quelque chose à lui demander.

Une chose difficile et à laquelle il tenait.

Surtout depuis le coup de fil qu'il venait de recevoir.

– Euh… Marie ?

– Oui ?

Il fallut quand même à Altaïr quelques gorgées de chocolat pour avoir le courage de parler.

– J'ai vu le portrait que vous aviez commencé... enfin, le nôtre. Celui de Viv' et moi, et...

Marie Gauthier se taisait, attendant la suite.

Altaïr déglutit péniblement, plusieurs fois de suite.

Il avait reçu un véritable choc, quand il était rentré dans l'atelier et avait vu l'esquisse du portrait.

Viviane était si étonnamment vivante qu'il en avait eu mal.

Rémi avait été désolé qu'il ait vu le tableau commencé, et, s'il l'avait regretté sur le coup, à présent il en était plutôt heureux.

– Vous... pourriez le terminer ? Même si, s'il n'y a que moi comme modèle ?

– Je ne sais pas si je dois... Oui, je pourrais... Et tu n'aurais même pas besoin de poser. Je peux travailler sur l'esquisse.

Altaïr poussa un soupir de soulagement.

Au fond, il préférait cette solution.

Et puis, il n'aurait pas à presser la mère d'Altaïr.

Elle aurait pu trouver suspecte sa hâte à lui faire achever le tableau.

– Je m'en doutais un peu... merci.

La porte d'entrée qui claquait et un brouhaha de voix joyeuses annoncèrent le retour de François et Rémi.

Altaïr inspira profondément.

Il s'était promis de jouer la comédie ce soir, et de montrer qu'il allait bien.

Ce serait plus facile pour mener à bien son projet.

Enfin, celui de l'homme du téléphone.

***

Bernard Brunaud considéra d'un air morne David Legendre. Il avait déjà longuement discuté avec lui deux jours plus tôt, et l'étudiant avait promis de passer le voir au commissariat.

– Je ne peux vraiment rien vous dire de plus.

Bernard soupira.

Encore une piste qui se cassait la figure.

L'enquête dans les hôpitaux et les cliniques psychiatriques n'avait pas donné grand-chose.

Outre le sacro-saint secret médical, les individus qui passaient leur temps à se laver semblaient être des milliers. En tout cas, ce symptôme n'était pas suffisant à lui seul comme signalement éventuel du meurtrier.

C'était peut-être vraiment une femme de ménage.

Après tout, ils n'avaient aucune preuve réelle que c'était un homme... hormis les empreintes digitales !

Le commissaire Brunaud balaya les pensées plus ou moins oiseuses qui lui passaient par la tête.

David Legendre avait l'air sincèrement désolé.

– Oh ! c'est pas grave… je commence à avoir l'habitude des pistes foireuses dans cette affaire… Et je crois d'ailleurs qu'elle n'est pas foireuse du tout. Ludovic a eu une bonne idée… mais comme on n'a rien de précis…

– Voyez-vous… il y a un tas de gens qu'on peut appeler bizarres. Au fond, tout le monde l'est un peu… vous… moi… En général, on se débrouille pour conserver chacun un équilibre, plus ou moins précaire. Mais parfois, ça ne marche pas, et tout fout le camp… Ne me demandez pas pourquoi, si on le savait vraiment il n'y aurait plus de psychiatres ou de psychanalystes… Mais, d'après ce que vous m'en avez dit, je n'ai pas l'impression que ce type soit suivi par qui que ce soit, psychiatriquement je veux dire. Il s'agit justement, mais je me trompe peut-être, de quelqu'un de très banal qui aurait trouvé un équilibre avec ses bizarreries, peut-être un peu plus accentuées que chez d'autres, et les gamins ont fait un truc qui a tout fait basculer.

– Mais quoi ? ! ?

– N'importe quoi… enfin, le mécanisme est tout de même un peu plus compliqué que ça, mais je pense que c'est à peu près ce qui est arrivé. Ça peut être n'importe quoi, un geste, un regard, une intonation…

– Bon Dieu ! Comment le trouver ?… Je vais être franc. Moi, que ce type soit malade ou pas, je m'en fous. Qu'il atterrisse en taule ou dans un asile, je m'en contrefous… Tout ce que je veux, moi, c'est l'empêcher de tuer d'autres gosses... De ça, je ne m'en fous pas !... Et je ne sais vraiment pas quoi faire pour l'en empêcher.

***

M. Martin était vraiment très content de lui.

Le coupable serait bientôt entre ses mains.

Il avait su toucher le point sensible chez le gamin.

Il était sûr que le garçon ferait tout son possible pour venir, et ne le trahirait pas.

Et même, M. Martin se doutait bien que l'enfant savait qu'il était condamné.

LA FUGUE

C'est une voix que je ne connais pas. Dure et sèche. Particulièrement polie.

Pourvu que ce ne soit pas un toubib.

Pourvu que ce ne soit pas une catastrophe... Viviane...

– Altaïr, c'est pour toi.

Mon ami est assis en face de moi, de l'autre côté de la table basse où s'empilent des albums de B.D.

Altaïr sursaute et me regarde un peu fixement.

– C'est... de la part de qui ?

Altaïr ne fait pas un geste pour se saisir du combiné que je lui tends.

J'aime pas me montrer indiscret, mais puisqu'il me le demande...

– C'est de la part de qui ?

Un rire bref me répond.

– Il me connaît bien. Je dois lui parler.

Pas évident à transmettre.

– Ben, il dit que tu le connais bien et qu'il...

– O.K. Je comprends. Je vais dans l'entrée.

Altaïr se lève brusquement et je reste un peu stupide, le téléphone à la main.

Il croit que je l'espionne ou quoi ?

– J'y suis, tu peux raccrocher.

La voix d'Altaïr me parvient de l'entrée, un peu étouffée.

Mortifié, je raccroche brutalement.

Jamais Altaïr ne m'a fait ce coup-là !

Au contraire, quand ses parents téléphonent pour lui parler de Viv', ou des copains, il préfère prendre la communication dans le living, et qu'on soit là.

Oh ! Rémi... t'es vraiment un abruti !

Je me souviens qu'avant-hier déjà Altaïr a préféré prendre dans l'entrée, mais comme on regardait la téloche, on a cru que c'était pour pas nous déranger.

Et si... Altaïr m'empêche de suivre mes petites pensées.

Je crois bien que je ne l'ai pas vu aussi livide et défait depuis la découverte de Viviane.

– Ben... Altaïr, ça va pas ? T'as une de ces têtes !

– C'est rien !

– C'était qui, ce type ?

– Un connard ! Une sale blague... Je...

– Mais, qu'est-ce qu'il ?...

– Mais rien, je te dis ! Tu m'agaces avec tes questions !

J'ai dû faire une drôle de binette, parce qu'Altaïr me prend par le bras, et le serre un peu maladroitement.

– Excuse-moi, Rémi... Je suis à cran. C'est rien, je te jure. Un abruti qui a voulu se donner un frisson... On... On devait pas faire des courses pour ta mère ?

Il ne m'a pas franchement convaincu, Altaïr, mais je doute que ce soit le moment pour lui poser d'autres questions. Je ne ferais que l'agacer encore plus.

Une bonne balade le détendra peut-être, et là je pourrai peut-être me renseigner sur son mystérieux correspondant... Ça m'étonnerait que ce soit une simple blague.

***

Jamais ! Jamais j'aurais cru qu'Altaïr puisse me faire un coup de vache pareil.

En sortant, Altaïr a râlé contre le flic imposé par Bernard. Ça m'a un peu surpris parce qu'en principe cette surveillance le rassurait plutôt.

On faisait tranquillement les courses, et, au moment où on sortait de la boulangerie, Altaïr a essayé de prendre la poudre d'escampette.

Je l'ai retenu de justesse !

Il s'est brusquement dégagé de mon emprise. J'ai esquissé un coup de poing et j'ai arrêté mon geste à quelques centimètres de son visage. Lui, il s'était

mis en garde pour parer mon attaque et a suspendu son élan en même temps que moi.

Nous sommes restés quelques secondes à nous regarder, l'air stupide, nous rendant compte brusquement que nous allions nous battre. Pas par jeu, parce que de cela, nous en avons une longue habitude, mais pour de vrai.

Alors, nous avons balbutié lamentablement les mêmes excuses, et privé les quelques passants qui nous contemplaient d'un combat de rue absurde et ridicule.

Et nous nous sommes jetés dans les bras l'un de l'autre, réconciliés et émus. Un peu mélodramatiques.

– Oh ! Rémi..., je suis désolé... je voulais juste plus voir ce flic, plus penser à rien... plus... je sais plus...

– D'accord... Calme-toi, mon vieux..., c'est fini... on rentre.

Qu'Altaïr craque, je veux bien, mais s'il veut me faire croire qu'il voulait juste s'échapper un peu et oublier le flic, il peut aller se rhabiller !

Il me prend pour un crétin ou quoi ?

Mais c'est pas le moment de le lui faire remarquer.

– Je comprends, Altaïr, mais, tu sais, Flavien et Juliette, eux aussi, sont surveillés.

Et je l'entraîne vers la maison.

En vérité, je n'ai qu'une hâte, rentrer, confier Altaïr à Maman et galoper jusqu'au commissariat, où je suis certain de trouver Bernard.

***

J'ai dû battre un record de vitesse, mais, comme je préférais voir B.B. plutôt que lui téléphoner, j'ai raconté des craques à Altaïr, et je me suis radiné au commissariat.

Comme il me l'avait dit, Bernard était dans son bureau ; je lui parle de mes soupçons.

– Alors, tu sais, je crois bien qu'on aurait dû faire gaffe à ces coups de fil...

Bernard me lance un regard pas vraiment aimable.

– Et depuis combien de temps ça dure ?

J'essaie de forcer un peu ma mémoire. Bon, Altaïr a pris la communication dans l'entrée avant-hier... Ça va faire trois jours qu'il tressaille à chaque fois que retentit la sonnerie du téléphone et il paraît infiniment soulagé quand ce n'est pas pour lui. Par contre, si on le demande, il s'avance vers le téléphone avec circonspection et son visage ne se décrispe que lorsqu'il reconnaît la voix de son père ou de sa mère.

– Ben... trois jours...

Cette fois, la réaction de B.B. est particulièrement humiliante.

– Mais fallait attendre ! On n'est pas pressés ! On n'est que samedi... Tu pouvais laisser passer le week-end, la rentrée des classes ! Et puis pourquoi pas les grandes vacances !

Devant mon air catastrophé, il rectifie le tir.

– Euh... bon, fais pas cette tête-là, je me suis un peu énervé, c'est tout... Enfin, mieux vaut tard que jamais.

Douce consolation !

– Écoute, Rémi, ton petit pote Altaïr, tu ne le lâches pas d'une demi-semelle... je crains qu'il ne soit vraiment en danger.

– Tu... tu crois que c'est l'assassin qui lui téléphone ?

– Peut-être... En tout cas, je vais vous mettre sur table d'écoute... Ça dure longtemps quand il l'appelle ?

– Ben... j'ai pas vraiment fait attention... moyen...

– J'adore ta précision ! Bon, on se débrouillera. De toute façon, si c'est un plaisantin qui s'amuse à angoisser ton ami, je te jure qu'il aura quelques menus ennuis avec mes services.

Vu l'air de Bernard, je crois que « menus » est un euphémisme que n'aurait pas désavoué Corneille.

J'avale péniblement ma salive.

– Et... si c'est pas un plaisantin ?

– Alors, on a une petite chance que ce soit le meurtrier et on pourra enfin le coincer.

– Mais... plus personne n'a été suivi et... il a peut-être tué celui ou celle qu'il voulait, et...

Le regard triste et désabusé de Bernard m'irrite.

– Tu ne crois quand même pas qu'il oserait téléphoner à Altaïr ! Pas vraiment, c'est trop risqué !

– Tu parles ! La preuve qu'il ne prenait pas de risques, c'est que ton copain n'a rien dit à personne… même pas à toi.

Cette constatation me fait mal, et je sens une vague de colère monter contre Altaïr.

Bernard s'est aperçu de mon trouble.

– Il n'a peut-être rien dit parce que ce type lui fait peur, ou l'a suffisamment menacé pour qu'il se taise…, pas parce qu'il n'a pas confiance en toi.

– Ouais… ce doit être ça.

– Bon, je ne te retiens pas plus longtemps. Tu fais gaffe, n'est-ce pas ?

– Promis.

– Moi, je m'occupe de l'écoute… J'espère que ce type va rappeler rapidement. Plus vite on l'aura en ligne, plus vite on sera fixés.

***

Je suis rentré dare-dare à la maison.

François était enfin réveillé et entretenait Altaïr des débuts de Radio-Marmotte.

Poliment, mon ami l'écoutait avec attention.

Je me suis défilé discrètement.

Enfin, j'ai essayé.

Parce que François m'a mis le grappin dessus et m'a fait participer à l'historique de sa radio.

Ni Altaïr ni moi n'avons osé lui dire qu'il nous pompait l'air et qu'on connaît tout ça par cœur.

En tout cas, j'ai pas eu un moment tranquille dans la journée pour pouvoir parler des coups de fil et de l'écoute téléphonique.

Et me voilà dans mon lit.

D'habitude, on ne peut qualifier mon sommeil de léger.

Même si je n'ai pas franchement la même propension à pageoter que François, une fois que j'ai les yeux fermés, il est difficile de me les faire ouvrir sans raison majeure.

Exception faite pour mon réveil qui, s'il n'est pas une raison majeure au sens strict du terme, m'évite pourtant un bon nombre de colles qui me seraient dévolues si je n'écoutais que ma paresse. Les retards au lycée ne sont pas du tout, mais alors pas du tout appréciés.

Mais depuis quelques nuits, l'habitude a changé.

A cause d'Altaïr.

S'il ne nous fait pratiquement plus le coup de l'absence, son comportement ne nous en inquiète pas moins.

Car, à présent, il semble se méfier et ne se confie plus du tout. Ce qui me déprime salement. Bien sûr, c'est peut-être à cause des coups de téléphone, mais...

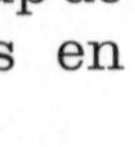

Je ne le comprends plus, Altaïr.

Enfin, je devine qu'il souffre et qu'il supporte mal d'être... vivant, vraiment vivant, lui. Et de pouvoir bouger et tout. Et j'imagine que ça doit être terrible pour lui quand il se coiffe ou se brosse les dents et rencontre inévitablement son reflet dans le miroir.

Presque pareil à celui de Viv'.

Viviane qui est tout le temps dans la nuit, à Necker !

Mais cela ne donne pas à Altaïr le droit d'être aussi injuste à mon égard !

Je lui en demande peut-être trop, aussi... peut-être parce que sa ressemblance avec Viviane me met aussi mal à l'aise que lui.

Des fois, je pense que ce n'était au fond pas une très bonne idée de l'inviter à rester avec nous... parce qu'à chaque moment nous reviennent les souvenirs des instants passés avec Viv'.

Et ces réminiscences nous éloignent l'un de l'autre au lieu de nous rapprocher... peut-être parce que nous n'osons pas les évoquer ouvertement.

Seulement, je sais bien que chez lui, avec ses parents qui ne parlent que de Viviane, Altaïr aurait été malheureux.

Encore plus...

Mais peut-être aussi que si on n'avait pas été aussi proches l'un de l'autre, il aurait pu parler de ces coups de téléphone...

Peut-être même... Hier... hier, il a été comme avant...

Et puis, ce matin, on lui a téléphoné…

Oh ! merde ! Si je pouvais dormir !

Marre de ressasser inutilement tout ça.

Bon, on s'est couchés quand même assez tôt, et je crois bien que je m'étais endormi…

Quelque chose a dû me réveiller.

C'est pas pour dire, mais, franchement, en ce moment, mon sommeil est loin d'égaler celui de la Belle au bois dormant.

Je me redresse et distingue Altaïr dans la pénombre. Il se glisse furtivement hors de la chambre.

– Tu ne dors pas ? Où tu vas ?

C'est d'abord un soupir excédé qui me répond.

Puis un petit temps de silence et enfin la voix un peu sourde de mon ami.

– La dernière fois que j'ai fait pipi au lit, je devais avoir quatre ans. Tu veux que je recommence ?

– O.K. ! O.K. ! Ne t'énerve pas. Excuse-moi !

– Non, c'est moi. Désolé de t'avoir réveillé.

– Pas grave, murmuré-je en me renfonçant sous mes couvertures, prêt à sombrer dans mes rêves.

Je me retiens, néanmoins, en vertu de la parole donnée à Bernard de veiller sur Altaïr comme un curé sur sa paroisse.

Mais, personnellement, j'estime qu'il serait abusif de le suivre jusque dans les toilettes.

Alors je m'astreint à attendre vaillamment son retour.

Et je fais bien, parce que, au lieu du glouglou de la chasse d'eau, c'est le claquement de la porte d'entrée qui heurte mes tympans.

TU NE DORS PAS ?
OÙ TU VAS ?

LE RENDEZ-VOUS

Et voilà que je me retrouve dans la rue, en pyjama, petit pull et tennis délacées, à deux heures du matin.

J'ai pas l'air con !

N'empêche, il a bien failli m'avoir, Altaïr.

A un poil d'éléphant près, je me rendormais et le laissais se débrouiller tout seul.

Quoique ! Je ne sais vraiment pas trop quoi faire en ce moment.

Pour tout dire, je suis plutôt en fâcheuse posture.

Dès que j'ai entendu claquer la porte d'entrée, je me suis faufilé à la suite d'Altaïr en prenant à peine le temps d'enfiler des tennis et un pull.

Je me suis furtivement glissé dans les escaliers et je me suis abstenu de crier son nom à la cantonade, histoire de ne pas ameuter les voisins. Et surtout pour ne pas forcer mon ami à prendre l'allure d'un coureur de cent mètres.

Il ne lui a vraiment pas fallu beaucoup de temps pour descendre les trois étages, et je me suis bêtement rassuré en me disant qu'il n'irait pas plus loin, parce que, fatalement, il attirerait l'attention du flic posté dans une voiture garée sur la place. Presque devant l'entrée de notre immeuble.

J'ai manifestement sous-estimé les capacités d'Altaïr.

J'avais oublié qu'il connaissait depuis bien longtemps l'existence de la porte qui donne sur la rue Dolomieu.

J'aurais jamais dû la lui montrer… sauf qu'à l'époque je ne pouvais pas imaginer qu'elle permettrait un jour à mon ami de s'enfuir.

Altaïr s'esquive prestement, et je n'ai pas d'autre solution que de continuer à le pister.

Une fraction de seconde, l'idée de l'appeler me traverse l'esprit. Et cette fois je me dis que si Altaïr prend la poudre d'escampette, je suis au moins aussi bon coureur que lui, et que j'arriverai bien à le rattraper.

Et puis la fraction de seconde suivante balaie mon envie.

Altaïr ne se balade pas à deux plombes du matin uniquement pour échapper à une surveillance qui lui pèse. Pour preuve, j'en ai son allure vive et décidée.

Si c'était un réel caprice, un craquage à cause de la rentrée, lundi… ou Viviane qui serait trop dans sa tête, alors, il flânerait, tout simplement, comme d'habitude.

C'est pas une promenade nocturne impromptue…

Parce qu'il avait tout prévu. Rien que ses fringues signent cette préméditation.

Il devait les avoir planquées près de son lit, pour ne pas avoir à les chercher dans l'obscurité quand il se lèverait.

Et je parierais bien que c'est la sonnerie de sa montre à quartz qui m'a réveillé.

Bon, le voilà qui ralentit.

J'espère qu'on ne va pas aller loin comme ça, parce que je commence à me frigorifier sournoisement. On n'est quand même pas au mois d'août !

On a remonté vers la rue Lacépède.

Par précaution, je me suis tapi dans des renfoncements de porte à chaque fois que je l'ai pu.

Mais, sincèrement, je crois qu'Altaïr est tellement certain d'être seul qu'il n'a même pas pensé à vérifier s'il était suivi.

J'aime autant ça, parce que je ne suis pas très sûr d'être un expert en filature.

Pas un pékin dans les rues.

Juste un mec en bagnole qui fait lentement le tour des immeubles. Certainement à la recherche d'une hypothétique place pour se garer.

Je me suis néanmoins planqué.

C'est pas la peine de me faire remarquer.

Altaïr se plante au coin de la rue de la Clef et de la rue Lacépède.

J'ai cru un instant qu'il avait envie de

retourner chez lui, mais comme il s'est engagé dans l'autre sens de sa rue…

Ah non ! Mais je rêve !

Il a l'air d'attendre quelqu'un…

Il n'a quand même pas rendez-vous avec…

Bon, on se calme, Rémi.

Chronologise un peu. Mets un peu d'ordre dans les événements.

Ce matin, enfin, hier matin, quand Altaïr a essayé de me fausser compagnie, je n'ai pu en parler à personne à la maison.

J'ai virtuellement confié la garde de mon ami à Maman, et j'ai filé au commissariat.

En revenant, je n'ai pas du tout pensé à vérifier si Altaïr avait eu une communication téléphonique.

Comme je ne l'ai pas quitté d'une semelle, je sais qu'il n'en a pas eu depuis mon retour…, mais avant… quand ce matin je lui ai passé la communication dans l'entrée…

Et si Altaïr avait tenté de se tirer à cause d'un rendez-vous ?

Et si celui-ci, raté dans la matinée, avait été reporté à cette nuit ?

Et qui a pu lui fixer un rancard à une heure pareille ?

L'homme du téléphone, bien sûr.

Mais qui peut-il être ?

Un mauvais plaisant en resterait aux coups de téléphone…

Et j'en viens à une bien triste et inquiétante constatation.

Cela pourrait fort bien être l'assassin.

Et alors, Altaïr est très précisément en danger de mort.

Maintenant.

Juste au moment où je m'apprête à rejoindre mon ami, une voiture freine à sa hauteur.

Celle qui semblait chercher à se garer l'instant d'avant.

J'ai juste le temps de me rejeter sous une providentielle porte cochère.

Oh non ! Je ne pourrai plus le suivre si...

Altaïr s'approche de la portière avant, côté conducteur.

Débloque pas, mon vieux !

Tu ne vas quand même pas monter ?

Intervenir.

Tant pis si le mec se casse.

Il a peut-être une arme ?

Le temps de mes tergiversations, Altaïr a fait le tour de la voiture et la portière du côté passager avant s'est ouverte.

Altaïr esquisse le mouvement de s'engouffrer dans le véhicule, puis semble hésiter et enfin se rebiffe, s'éloigne à pas rapide vers la rue Monge, en ayant traversé pour être hors de portée du mec. L'inconnu se précipite vers lui et le retient par le bras ; le pousse brutalement contre une porte d'immeuble.

– Tu avais promis ! Tu sais ce qui arrivera si tu ne viens pas avec moi ? Je te l'ai dit. Alors ?

Je me suis furtivement rapproché de la voiture vide, et, caché par elle, j'aperçois le visage livide d'Altaïr qui me fait face. Il avale péniblement sa salive et baisse la tête.

– Oui. Je sais.

Son murmure me rappelle la douce voix de Viviane.

Et alors, je me surprends à haïr Altaïr, et à me dire que je vais partir discrètement et le laisser tomber.

Après tout, il n'avait qu'à me demander de l'aider au lieu de jouer les cavaliers seuls et de se fourrer dans le pétrin.

Moi aussi, de savoir Viviane dans le coma, ça me rend dingue !

Seulement, moi..., j'ai pu en parler avec mes parents...

Et si je n'avais pas peur de faire du boucan et de les alerter, je me flanquerais aussitôt une paire de baffes pour avoir osé penser abandonner Altaïr.

Mon ami s'est un peu redressé et regarde fixement l'inconnu, une lueur de défi dans les yeux.

– Alors, on y va ?

Je suis pas sûr que, si je me mets à hurler, le flic de garde m'entende. Et quand bien même, le temps qu'il pige et se radine, ce salaud aura peut-être déjà buté Altaïr.

Je n'ai même pas pris le temps de réfléchir.

Le type avait laissé sa portière entrouverte, alors, je me suis glissé dans la voiture, passant à l'arrière.

Tout à fait conscient d'agir très stupidement, mais c'est le seul moyen que j'aie à ma

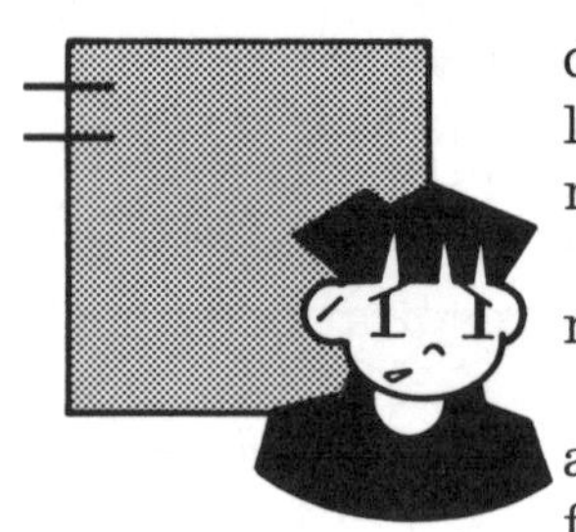

disposition pour connaître leur destination. Et au moins, j'aurai chaud.

Je me demande si Altaïr m'a aperçu.

Le mec me tournait le dos, alors qu'Altaïr me faisait face, mais il était si tendu que je doute qu'il ait remarqué quoi que ce soit.

Et puis, j'étais bien dissimulé par la bagnole.

En tout cas, ce n'est pas le moment de vérifier.

La voiture démarre dès qu'Altaïr et le conducteur se sont installés à l'intérieur.

– Boucle ta ceinture. Je ne tiens pas à ce qu'on m'agrafe pour une idiotie.

Je vois les mains d'Altaïr qui s'exécutent.

Je me retiens de le toucher.

Ça lui ferait une sacrée surprise et je me méfie des réactions de l'homme.

Pourvu qu'on n'aille pas trop loin.

Parce que, outre ma trouille qui augmente, mon inconfort suit la même ascension, et je vais être aussi courbaturé et coincé qu'un vieillard chenu, grenu et rhumatisant, une fois la balade terminée.

Et après ?...

Bon Dieu ! Je me suis vraiment foutu dans de sales draps.

Mais, finalement, tout s'est passé si vite...

alors que j'ai l'impression que ma filature a duré une éternité.

Pour le moment, on roule en silence.

J'essaie de repérer la direction qu'on prend. Et puis surtout de rendre ma respiration aussi imperceptible que possible.

Histoire de ne pas révéler ma présence.

– C'est très bien de n'avoir prévenu personne. J'ai fait le tour du quartier…

Je me félicite d'avoir su être particulièrement discret. Mais au fond, ce sale type devait tellement s'attendre à voir des flics, adultes de surcroît, qu'il n'aura vraiment pas fait gaffe au reste.

C'est-à-dire moi, coincé dans un renfoncement de porte.

Bon sang, Altaïr ! Dans quelle galère m'as-tu entraîné ?

– Vous… vous m'aviez dit que vous tueriez Rémi si je vous désobéissais.

La voix un peu sourde d'Altaïr me fait mal…

Alors, c'est à cause de moi, pour me protéger que tu gardais le secret ?

– Je l'aurais fait.

– Je sais, reprend la voix enrouée de mon ami.

Et si je lui sautais sur le paletot ?

Si je l'agrippais par le cou ?

Il serait bien obligé de freiner pour éviter un acci-

dent, et puis pour se défendre… mais après ?

Et s'il est armé ?…

A présent nous sommes en banlieue, Ivry, je crois bien, d'après la direction que j'ai pu repérer.

Pas plus de monde dans les rues que de neige dans le désert du Sahara !

De toute façon…, je crois bien que même sans armes, il peut nous maîtriser.

Altaïr et moi ne faisons pas le poids devant un assassin.

– Mais vous me jurez qu'après… quand… enfin après moi, vous leur ficherez la paix. Vous ne toucherez plus personne… jamais.

– Je te l'ai dit.

– Mais quelle preuve je peux avoir ? Quelle preuve ? ! ?

Altaïr a presque crié.

– Aucune. Juste ma parole. Mais tu as bien compris que c'est ta mort qu'il me faut, n'est-ce pas ? Elle seule à présent me suffira.

Je sens Altaïr s'affaisser contre le siège, et j'entends le son étouffé de ses sanglots.

Dis-moi que c'est un cauchemar, Altaïr.

Que tout est faux.

Que tu ne vas pas comme ça, vers ta mort.

Mais j'ai beau me pincer de toutes mes forces, je ne me réveille pas dans mon lit.

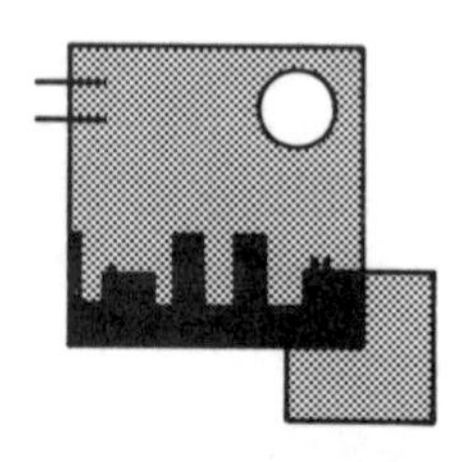

LA MISSION

Bernard Brunaud se réveilla en sursaut.

Il jeta un coup d'œil à son réveil, poussa un soupir rageur et se renfonça sous ses couvertures.

Deux heures du matin.

C'était pas une heure à mettre un disque de Bruce Springsteen à fond la caisse.

Les voisins n'apprécieraient pas.

Et puis lire... Bernard sentait bien qu'il ne parviendrait pas à fixer son attention même sur ses poèmes préférés de Prévert.

Une B.D., peut-être ?

Il hésita cependant à allumer, certain que, s'il le faisait, il avait devant lui une nuit d'insomnie assurée.

En restant dans l'obscurité, il pouvait garder l'illusion de bientôt se rendormir.

Et puis, il se dit aussi qu'il pourrait tout aussi bien se lever, et faire un petit tour vers la place Monge.

Il se ravisa presque aussitôt.

Cela ne servirait à rien.
Au contraire.
Et il lui paraissait difficile de sonner à la porte des Gauthier à deux heures du matin.
Même pour se rassurer.
Parce qu'en fait il se sentait terriblement et irrationnellement inquiet.
Il n'avait pourtant aucune raison de l'être.
Garrel était en faction, et Bernard avait toute confiance en son subordonné.
Il regretta néanmoins de ne pas avoir laissé un autre homme en place, pour surveiller la petite entrée de la rue Dolomieu.
Bernard se traita mentalement d'abruti.
Bon, il n'y avait presque aucun risque.
Du moins la nuit.
L'assassin n'était pas un imbécile, et il ne s'amuserait certainement pas à pénétrer la nuit dans un appartement qu'il savait être bourré d'adultes prêts à voler au secours d'Altaïr et de Rémi.
Il avait certainement l'intention d'attirer Altaïr dans un piège.
Les coups de téléphone l'attestaient.
Surtout l'attitude du gamin décrite par Rémi.
Un plaisantin n'aurait certainement pas autant impressionné l'enfant. Et puis, Altaïr en aurait parlé...
Bernard était convaincu qu'il s'agissait bien du meurtrier.
Il ne restait plus qu'à espérer qu'il se manifesterait au plus vite. Parce que, depuis que

le téléphone des Gauthier était sur table d'écoute, il n'avait pas rappelé Altaïr.

Il se méfiait peut-être ?

Non. Il n'avait aucun moyen de savoir qu'il était presque découvert. Il fallait que ça marche, sinon il ne restait plus qu'à protéger Rémi et ses copains *ad vitam aeternam.*

Parce que les indices pour capturer l'assassin étaient franchement légers.

Entre tous les métiers possibles et imaginables où quelqu'un serait obligé d'utiliser l'eau de Javel, et les services psychiatriques, il y avait de quoi faire.

Et, jusqu'à présent, ils n'avaient rien trouvé.

Désespérant !

Pourvu que le type téléphone encore.

Les pensées de Bernard dérivèrent alors sur la conversation qu'il avait eue avec David Legendre.

Une faille.

L'homme ne tuait peut-être que parce que les gosses ou l'un d'entre eux avaient détruit un fragile équilibre. Avaient entrouvert une brèche dans laquelle la folie avait pénétré.

Mais cela pouvait être n'importe quoi... même...

Oh ! bien sûr, cela pouvait être cela.

Juste cela et ça avait suffi.

Mais voilà, de toute façon, ça ne l'aiderait pas vraiment, parce que des passants, les gamins en avaient enfariné des dizaines.

Bon.

Il en était là.

C'est-à-dire pas loin.

Dans son lit.

Bernard Brunaud alluma, se leva, se servit un verre de fine et se recoucha avec un livre de la série des *Aventures du juge Ti.* Un polar, c'était bien ce qu'il lui fallait pour lui tenir compagnie.

***

Terminus.

Ou du moins, je le pense, parce que la voiture vient de s'arrêter dans le parking d'un groupe d'immeubles.

– Descends, ordonne l'homme d'une voix sèche.

Altaïr obéit et referme la portière d'un geste d'automate.

Je lui en veux presque de se soumettre ainsi !

Le type sort à son tour et rejoint Altaïr, qui était resté statufié sur place, l'empoigne par le bras et le force à marcher.

La première idée qui me vient à l'esprit, c'est de me tirer vite fait, puis de me ruer vers la cabine téléphonique entr'aperçue juste au coin de la rue, avant d'arriver ici, et de prévenir Bernard. Le problème, c'est qu'on n'est pas dans les champs, et que ce mec n'habite même pas une villa parfaitement isolée.

Les immeubles autour de moi doivent avoir une vingtaine d'étages… au moins.

Alors, même en admettant que j'attende un

peu pour repérer le sien, avant que Bernard ne trouve son appartement, il aura eu le temps de tuer Altaïr dix fois au moins...

Et une fois, ça suffit déjà.

Pas évident à présent de les suivre, vu qu'il n'y a vraiment personne et que je pourrais difficilement prendre l'air de rien dans le hall avec mon pyjama et mes tennis... d'autant plus qu'il doit me connaître... puisque c'est pour me sauver la vie qu'Altaïr a accepté ce rendez-vous.

Et si, simplement, je me mettais à hurler, d'une part je doute qu'un quidam s'extirpe de son lit pour voir ce qu'il se passe, et, d'autre part, le mec n'hésitera pas une seconde à liquider mon ami.

Faut pas deux heures pour le coup du lapin.

Bon, mon vieux Rémi, t'as intérêt à t'activer pour prendre une décision.

Si je les laisse entrer dans l'ascenseur, je perds leur trace... et définitivement Altaïr.

Ce qui fait qu'il ne me reste plus qu'une solution. J'ouvre la portière arrière de la voiture et m'extrais péniblement, parce que, ainsi que je me l'étais prédit, je suis complètement ankylosé.

A cause de mon engourdissement, je ne suis pas aussi rapide que je l'aurais souhaité, et je me rue dans le hall au moment où Altaïr et le type allaient disparaître dans l'ascenseur.

– Qu'est-ce que vous voulez lui faire ?

Je suis assez content d'avoir pu raffermir ma

voix. Le visage stupéfait d'Altaïr vaut le coup d'œil.

Quant à son compagnon, outre la surprise, ses traits expriment une haine comparable à celle d'un contribuable que sa femme tromperait avec son percepteur.

– Rémi ?!? Mais... Que... ? a juste le temps de balbutier Altaïr avant que l'autre ne le plaque contre lui, maintenant sa tête en arrière.

– Sale vermine ! Tu m'as menti !

La tête de mon ami bascule dangereusement.

– Non ! Il ne savait pas que je le suivais ! Je vous en supplie...

Mon intonation semble convaincre le type, parce que la tête de mon ami reprend un angle normal.

– Bon. Je te crois. Avance, tu me raconteras ça plus tard.

Il s'écarte pour me laisser passer et pénètre dans l'ascenseur, tenant fermement Altaïr contre lui.

– Appuie sur le dix-huitième.

Je m'exécute.

– Alors, comment es-tu arrivé ici ?

Je lui explique, évitant le regard atterré d'Altaïr.

– Pas mal. J'aurais dû vérifier...

– Vous l'auriez tué, murmure Altaïr d'une voix haineuse.

– Peut-être.

Je ne me sens pas franchement à l'aise.

L'ascenseur s'arrête et les portes s'ouvrent.

L'homme précipite brusquement Altaïr contre le mur et me saisit brutalement à sa place.

Je sens la barre dure de son poignet contre mon cou.

Le type lance un trousseau de clefs vers Altaïr qui se frotte doucement le front.

– Ramasse les clefs, et ouvre la porte de gauche. En silence si tu tiens à ton copain.

Altaïr s'affaire en tremblant.

Je crois que j'ai salement compromis mon existence... et que ça n'améliore pas les chances d'Altaïr de s'en sortir.

J'aurais dû appeler B.B. au lieu de jouer les baroudeurs du dimanche.

Une fois la porte ouverte, notre geôlier nous invite à entrer. Je ne vois pas ce qu'on pourrait faire d'autre... moi surtout, parce qu'il me tient toujours par le cou.

– Ferme... Allume, l'interrupteur est juste sur ta droite. Pousse le verrou maintenant.

A nouveau Altaïr obéit.

La pièce où nous nous trouvons est assez spacieuse, simplement meublée.

En fait c'est un studio.

Tout est d'une netteté exemplaire.

Je suis sûr que la propreté de cette piaule ferait l'admiration d'un Suisse.

Finalement... il n'est pas armé... Si on s'y mettait à deux, on pourrait l'envoyer au tapis, ou tout au moins le bousculer suffisamment pour se tirer, ou ameuter l'immeuble.

Il pourra pas nous maîtriser tous les deux en même temps...

La pression qui s'était relâchée un instant se raffermit sur mon cou.

Je me berçais de douces illusions.

– Vous lui faites mal ! intervient Altaïr.

– Approche !

Le mot a claqué comme un ordre.

Mon ami s'avance lentement.

Il est à peine à quelques centimètres de nous.

Soudain, le bras libre de l'homme se détend et il frappe Altaïr en plein visage. La force du coup le fait reculer et le projette contre un mur.

Paniqué, je regarde Altaïr s'affaisser.

– Rassure-toi. Il n'est pas mort... pas encore.

Je ne suis pas du tout rassuré.

Au contraire.

L'homme m'entraîne dans la cuisine et extirpe d'un tiroir un rouleau de ficelle dont il m'entoure les poignets, derrière le dos. Je ne pense même pas à résister, trop occupé à observer Altaïr qui essaie de se relever.

Le type me ramène dans la pièce et m'expédie dans un fauteuil.

Il se penche alors vers Altaïr, qui commence un peu à récupérer, et lui flanque un coup de poing dans le ventre.

– Non !

Altaïr se ratatine sur lui-même.

Une puissante gifle le fait retomber à terre et il pousse un cri de douleur.

Le mec s'approche de moi, et je me reçois deux baffes qui me font voir trente-six chandelles.

– Tu as compris ? Chaque fois que tu vas crier, ton copain écope double.

Les yeux d'Altaïr s'agrandissent de terreur.

– Non... Ne... je... je crierai plus.

L'homme retourne vers lui.

– Eh bien on va voir ça.

Les baffes m'ont sacrément étourdi, mais pas assez pour m'empêcher d'entendre les coups, et les gémissements étouffés d'Altaïr.

J'ose pas hurler, de peur que ce salaud ne s'acharne encore plus sur mon ami.

Je ne peux que fermer les yeux.

Au bout d'un moment qui me semble durer une éternité, le bruit mat des coups s'éteint.

J'ouvre les yeux.

Le type attache les mains d'Altaïr, et le laisse sur la moquette, gisant comme une statue blessée.

– Parce que vous croyez qu'il aurait la force de se tirer, après l'avoir dérouillé comme ça ?

Mon commentaire indigné me vaut une autre baffe.

– Je prends mes précautions, c'est tout. J'ai une mission à remplir, et je veux la mener jusqu'au bout.

– Une mission ?

– Mais, tuer Altaïr, bien sûr.

Et il m'annonce ça comme si c'était la chose la plus banale du monde !

Il disparaît vers ce que je pense être la salle de bains... Ça m'étonnerait que ce soit un placard.

Un bruit d'eau me confirme que c'est la salle de bains.

Magnifique.

Il a une mission qui consiste en l'assassinat d'Altaïr et il prend un bain !

Rien de plus normal.

Je me laisse glisser du fauteuil et rampe vers Altaïr qui continue à geindre doucement.

Il se redresse légèrement et lève vers moi des yeux brillants de fièvre et de larmes.

Il s'est tellement mordu les lèvres pour ne pas crier que du sang dégouline le long de son menton.

– Oh !... Altaïr..., t'aurais dû crier et pas...

Il esquisse un faible sourire.

– C'était pas la peine d'être deux à se faire baffer...

– Je suis un con ! Je voulais t'aider et... tu crois que j'arriverai à défaire tes liens ?...

– Je ne crois pas. Il a serré très fort... Et puis, vaut mieux que tu te tiennes à carreau... peut-être qu'il va t'épargner quand... quand il aura accompli sa mission.

– Mais tu sais ce que c'est, bon Dieu, sa mission de merde ! Il veut te tuer !

Un soupir résigné s'échappe des lèvres d'Altaïr.

– Ben, oui...

J'AI UNE MISSION À ACCOMPLIR,
ET JE VEUX LA MENER JUSQU'AU BOUT.

– Mais qui c'est, ce mec ?
– Tu ne l'as pas reconnu ?
Je réfléchis un instant.
– Je devrais ?
– C'est le mec qui m'avait balancé du sable, le jour où on s'était baladés.
– Et alors ?
– Et alors, j'en sais rien ! En réalité, je l'ai reconnu juste ce soir, dans la voiture... Il... il avait commencé à m'appeler au téléphone presque tout de suite après que Viv'... enfin qu'elle a été dans le coma et... il m'insultait, et elle aussi. Il disait qu'elle n'avait eu que ce qu'elle méritait... et puis... un jour il a dit que c'était ma faute. Que tout était à cause de moi. Lionel, Émilie, Viv'... Et que si je ne voulais pas qu'il te tue, et Flavien et Juliette, je devais le rencontrer. Je croyais que ça s'arrêterait en habitant chez toi, mais ça a été pire... Il a menacé de te tuer très vite si je ne lui obéissais pas... Il a dit que puisque c'était ma faute, si je payais... il... il vous laisserait tranquilles... Alors j'ai accepté et ce matin, j'avais rendez-vous avec lui. Enfin, hier matin... Mais tu m'as empêché, alors il m'a rappelé et ordonné de venir cette nuit... sinon il te tuait...
– Mais... on aurait pu prévenir Bernard ! Il l'aurait arrêté !
Altaïr me regarde d'un air désabusé.
– Tu parles...
– Alors... alors tu savais vraiment qu'il voulait te buter ?...
Mon ami détourne lentement la tête.

***

M. Martin ferma les robinets.

Voilà, maintenant ça y était.

L'instant tant attendu était arrivé.

Sa mission était presque accomplie.

Le coupable allait payer.

M. Martin retourna vers ses deux jeunes prisonniers.

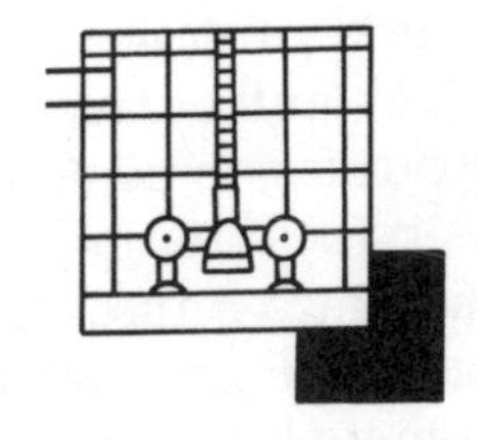

LA FAUTE

En fait, Altaïr et moi n'avons pas le temps de nous abîmer dans de sombres pensées.

Notre geôlier revient avant que nous ayons eu le loisir de nous interroger sur les raisons de sa conduite.

Un éclair de peur traverse le regard d'Altaïr lorsque l'homme se penche vers lui.

Je tente naïvement de le protéger avec mon corps.

– Tu l'aimes bien, ton copain, n'est-ce pas ? A peu près autant que lui, je suppose... Eh bien, je vais te faire une faveur.

Le sourire inquiétant du mec et sa voix mielleuse ne me disent rien qui vaillent.

– Pourquoi vous nous avez enlevés ? Vous n'avez pas le droit de nous séquestrer comme ça !

– Rassure-toi, je ne vais pas vous séquestrer longtemps.

Je crois que j'ai loupé une occasion de me taire.

Je ne peux pas m'empêcher de trembler.

Il est tellement calme, ce type..., même pas menaçant.

Il sait que nous sommes en son pouvoir.

Totalement.

– Mais... Mais qu'est-ce que je vous ai fait ? demande Altaïr d'une voix plaintive.

– Tu as commis une faute, très grave, à mon égard...

– Mais alors, quoi ? Et puis fallait pas tuer les autres... juste moi si... Pourquoi ?

La voix brisée, Altaïr se tait.

L'homme me soulève comme une plume et me réinstalle dans mon fauteuil. J'évite de résister.

D'abord, je n'en ai pas vraiment les moyens, et puis pas la peine de m'attirer d'autres beignes.

Le type retourne ensuite auprès d'Altaïr dont tout le corps se crispe dans la crainte de recevoir d'autres coups.

– Allons, calme-toi. Je ne vais plus te frapper. Plus maintenant.

Altaïr se détend légèrement.

L'homme prend son temps et ses aises, s'assied sur le canapé-lit près d'Altaïr.

– Je ne t'ai pas tué en premier tout simplement parce que je n'en ai pas eu l'occasion. Je t'ai rencontré une fois, par hasard. Tu sortais de la FNAC de la rue de Rennes, mais tu m'as repéré et je t'ai perdu... Et, un jour, je désespérais de te retrouver, j'ai aperçu... euh... Lionel, dans le Jardin des Plantes. Et là, ça a été facile. Après tout, il méritait son sort. Il était complice, lui aussi…

– Mais complice de quoi ? ! ? hurle presque Altaïr.

L'autre ne prend même pas garde à l'interruption et continue son explication d'une voix atone.

– Après, c'était beaucoup plus simple. Dans les journaux, il y avait le nom du gamin et le lycée qu'il fréquentait… Ça m'a été facile de savoir en quelle classe il était… et puis je vous ai retrouvés. Tous. J'ai essayé de t'avoir, toi, parce que tu es responsable, mais, sincèrement, tu m'as donné beaucoup de mal. Tu n'étais presque jamais seul. Alors, il a bien fallu punir les autres avant toi. Et j'ai pu châtier la gamine… J'ai eu de la chance, mais c'était normal, puisque ma cause est juste. Il n'y avait personne dans la rue, et ça a été très vite. C'est quand j'ai appris par les journaux qu'elle avait été blessée par un tesson de verre, et qu'il y avait du sang que je me suis dit que c'était bien ainsi. Et j'ai su comment punir… ta sœur, d'abord. J'ai dû user ma salive pour lui faire ouvrir la porte. Je lui ai dit que tu avais eu un accident et… C'était bon de la frapper…

– Salaud ! Ordure ! s'égosille Altaïr en essayant de frapper le mec avec ses pieds.

L'autre n'a pas de mal à le maîtriser, l'envoie rouler vers moi d'un coup de poing.

– Tais-toi !

– Mais pourquoi ? ! ? hoquette Altaïr.

– Mais enfin, à cause de la farine, bien sûr.

Sa réponse me surprend tellement que j'en oublie ma peur.

– La farine ?

– Mais oui !

Son regard se pose avec fixité sur Altaïr que je sens trembler tout contre moi.

– C'est terrible, la farine, ça s'insinue partout... dans les vêtements... sur la peau... Et moi... moi, je ne peux pas supporter que quelque chose soit sale, sur moi... A mon travail, au bureau, on me respecte, et là... les gens se retournaient sur moi, riaient. Jamais je ne l'aurais permis au bureau ! Mais, dans la rue, je ne pouvais rien dire, n'est-ce pas ? Et à cause de toi..., Alors j'ai compris que je ne serais propre que lorsque je t'aurais éliminé.

– C'est pas vrai !... Ça peut pas être ça ! Je... Les gens ne se moquaient pas de vous... enfin, pas vraiment... C'était juste... Ils trouvaient ça drôle... C'était pas méchant... Et nous non plus... Vous n'aviez qu'à vous épousseter ! C'est pas sale, la farine... On n'aurait jamais jeté des œufs, ça c'est... Oh ! bon Dieu ! Vous les avez tués pour ça ! Juste pour un peu de farine...

Le visage désespéré d'Altaïr n'a pas l'air d'émouvoir le mec.

Un peu héberlué, j'essaie de comprendre ce qu'il vient de raconter.

Un barge.

C'est pas possible autrement.

Quelqu'un de normal ne tuerait pas des enfants à cause d'une poignée de farine.

Inexorable, il continue son explication comme si la voix cassée de mon ami avait glissé sur lui.

– Alors, à cause de ta faute, tu méritais un grand châtiment.

Ta sœur aussi aurait dû le subir… puisque c'est ta jumelle, mais c'était trop compliqué, et je n'aurais jamais eu le temps… Alors ce sont mes mains qui ont accompli la mission… mais elle n'est pas morte… dommage… enfin, elle ne vaut guère mieux.

Je sens des larmes couler le long de mes joues.

– Vous… espèce de salaud… vous n'avez pas le droit de parler comme ça.

Le regard fixe quitte Altaïr pour se river sur moi.

– C'est tout ce qu'elle mérite. Je suis presque lavé. Bientôt…

Le regard revient sur Altaïr. Le visage de mon ami est blême et décomposé.

Je ne dois guère être plus présentable.

– Bientôt… mais cela va durer longtemps pour toi… Tu sais ce que c'est, la chaux ?… Réponds !

– On… on s'en sert pour blanchir les murs, murmure Altaïr d'une toute petite voix.

Ça peut aussi servir à autre chose.

Je le sais.

Et Altaïr aussi.

Mais il ne peut pas le dire.

Notre hôte s'empresse de nous renseigner, avec délectation.

– Ça peut aussi servir à dissoudre des êtres humains, la chaux vive.

– Vous lisez trop de romans policiers.

Ma voix chevrote trop pour que cela paraisse de l'humour.

Je sens Altaïr se tasser.

– Tout est prêt pour toi. Je te promets que je tuerai ton copain après sans le faire souffrir. Je lui briserai la nuque.

Pour un peu, je tomberais dans les pommes.

– Après ? s'étrangle presque Altaïr.

– Oui, après. Quand tu seras dissous. Je le tuerai et je le déposerai quelque part, avec un peu de farine, pour qu'on sache que j'ai accompli ma mission. Que j'ai châtié les coupables. Tu n'aimes pas beaucoup l'idée qu'il assiste à ton agonie, n'est-ce pas ?

Je crois que je commence seulement à réaliser ce que signifiait l'eau que j'ai entendue couler.

Mais il se croit dans un film d'horreur, ce type !

– Pourtant, vous aviez dit que vous ne le tueriez pas si je venais ! hurle Altaïr.

– Il n'avait qu'à pas faire le malin et te suivre. C'est sa faute. Pour les autres, je tiendrai ma parole, je les laisserai tranquilles. Bien… il est temps.

– Oh non ! Mon Dieu, non !

Altaïr coule un regard paniqué vers l'homme et essaie maladroitement de se carapater.

Je tente vainement d'empêcher le type d'empoigner Altaïr, mais il me repousse brutalement au fond du fauteuil.

L'homme saisit Altaïr par les cheveux et le force à le regarder.

– C'est l'heure. Tu vas expier ta faute.

– Je vous en prie… je ne voulais pas…

Un bout de tissu s'enfonce durement dans la bouche de mon ami, étouffant ses supplications.

Un coup de poing au ventre l'étourdit suffisamment pour qu'il ne se débatte plus.

Ben voilà.

Le type a laissé Altaïr et s'avance lentement vers moi, et je crois bien que je vais y passer.

Au fond, je préfère ça.

Je n'aurais jamais pu supporter la vision d'Altaïr barbotant dans un bain d'acide.

Erreur. L'assassin a d'autres projets.

Il extirpe lentement un autre chiffon de sa poche.

– Je pense que ça sera long… alors je n'ai pas envie d'être gêné par tes hurlements… ou ceux de ton copain. Et puis, cela pourrait finir par déranger les voisins.

Et il me fait le coup du bâillon.

Je n'échapperai pas à l'horreur qu'il a promise à Altaïr.

Une baffe magistrale m'ôte toute velléité de résistance.

Il me prend dans ses bras et me transporte jusque dans la salle de bains, où il m'installe sur un tabouret.

Puis il retourne chercher Altaïr.

La baignoire remplie de chaux laiteuse semble me narguer.

J'essaie désespérément de trouver une idée qui me permettrait de sauver Altaïr.

Et moi en prime.

J'entends l'homme qui réveille Altaïr.

Il ne lui fait même pas la grâce de le laisser évanoui.

L'immonde salaud.

Il n'y a qu'un cinglé de ce genre dans la région parisienne et il a fallu qu'on tombe sur lui !

C'est pas vrai !

On va pas finir comme ça !

Oh !... merde !... mais qu'est-ce que je peux faire ?

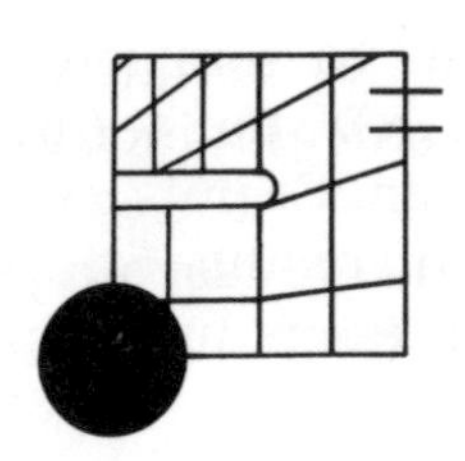

LE CHÂTIMENT

Bernard Brunaud considéra tristement le livre qu'il venait de fermer.

Décidément, il n'avait rien d'un bon policier s'il devait se fier au roman qu'il venait de terminer.

Comme à chaque fois qu'il se sentait découragé, il regretta de ne pas être devenu horticulteur.

Presque trois heures du matin.

Il n'allait quand même pas passer la nuit à bouquiner des polars.

Il sortit de son lit.

Une sourde angoisse qu'il ne parvenait pas à expliquer le tenaillait.

Il éprouva le besoin de bouger. Sortir. Prendre l'air.

Malgré toutes ses tentatives de diversion, ses pensées revenaient toujours à l'enquête qui le préoccupait.

Il s'était juré de creuser un peu son idée, et de demander à Rémi et à ses copains s'ils pouvaient lui décrire l'homme qui avait eu une réaction violente à l'égard d'Altaïr.

Bien sûr, c'était un peu irrationnel comme piste...

A moins que l'inconnu ne téléphonât.

Ce qui serait tout de même le plus simple.

Bernard espéra que l'homme qui angoissait ainsi Altaïr était bien l'assassin.

Cette pénible enquête serait alors enfin close, et il n'aurait plus à avoir peur pour Rémi et les autres gosses.

Bernard Brunaud s'habilla rapidement.

Puisqu'il ne tenait plus en place chez lui, autant se rendre utile et aller relever Garrell... ou tout au moins lui tenir compagnie, place Monge.

***

Voilà.

Dans quelques secondes, le type va revenir, il va plonger Altaïr dans cette saloperie de baignoire et...

J'ai envie de vomir rien que d'imaginer... et ça sera encore pire que tout ce que je peux inventer.

J'entends le mec qui parle à Altaïr. Qui lui rebat encore les oreilles de faute et de châtiment...

Je me suis tellement excité que, sans m'en rendre compte, j'ai tordu mes poignets dans tous les sens.

Et mes liens se sont relâchés.

Pas de trop, et je n'ai pas le temps ni d'ailleurs l'habileté de les défaire complètement, mais je peux au moins justifier mes excellentes notes en gymnastique. Même mon professeur admire ma souplesse.

Dément, l'équilibre sur un tabouret !

N'empêche, j'ai quand même réussi à faire passer mes mains devant moi.

Pour ce que ça m'avance !

Si au moins je pouvais trouver quelque chose qui puisse me servir de gourdin, et assommer le mec.

Mais tout est net et vide.

Ses trucs de toilette doivent être enfermés dans les placards...

Je ne peux quand même pas le terrasser avec un peigne !

Et puis j'ose pas bouger, parce que j'ai peur qu'il me surprenne et ça ne m'arrangerait pas du tout.

Faut pourtant que je fasse quelque chose.

Tant pis. Prendre le risque de fouiner dans un placard.

Trop tard.

J'entends les pas de l'homme qui se rapprochent.

Si je pouvais au moins retenir Altaïr.

Peut-être que le mec changerait d'avis si... s'il ratait son coup et ne plongeait pas tout de suite mon ami dans son bain de chaux...

Peut-être qu'il retarderait... l'exécution, et Bernard pourrait nous retrouver ?

Je dois m'accrocher à cet infime espoir.

Il ne me reste plus que ça.

Je retire rapidement mon bâillon, et baisse légèrement la tête pour que le mec ne s'en aperçoive pas. Je me tasse un peu, pour dissimuler mes mains.

Il apparaît au seuil de la salle de bains, portant Altaïr.

Au fond, il doit m'avoir oublié.

Il regarde mon ami avec une expression de ravissement infini.

Il va tuer Altaïr et il rayonne.

Faut... faut que j'y arrive.

Dans cinq secondes ce sera le moment.

Altaïr ne me regarde même pas.

Il ne voit que la baignoire.

Trop tôt pour lui crier quelque chose.

Intérieurement, je commence le compte à rebours.

Cinq. Quatre. Il est tout près de moi.

Trois. Deux. Il me dépasse.

Un. Il va flanquer Altaïr dans la chaux.

Zéro !

Je me lève d'un bond et passe les bras autour des épaules d'Altaïr.

– Aide-moi, Altaïr !

Je sens mon ami qui se détend brusquement et bascule vers moi, de toutes ses forces.

Le type essaie de l'accrocher, mais j'entraîne Altaïr avec moi, me laissant tomber.

Et alors tout va très vite.

L'homme nous lance une bordée d'injures, se précipite sur nous, et soudain dérape sur le carrelage, perd l'équilibre et tombe en arrière dans la baignoire.

Il y patauge en hurlant, réussit enfin à s'en extraire, et, fou de douleur, traverse l'appartement, bute contre la vitre, et se cogne encore jusqu'à la briser et passer au travers.

Son hurlement s'éteint brusquement.

Désemparés et effrayés, Altaïr et moi avons assisté à ses efforts pour fuir la douleur.

Et à sa mort.

C'était trop rapide.

Nous n'avons rien pu faire.

Et puis, quoi faire ?

Et comment ?

C'est pas avec nos mains entravées et nos corps meurtris que nous aurions pu lui être utiles.

Mais tout ça, ce sont des excuses...

Un homme est mort à cause de nous.

AIDE-MOI, ALTAÏR !

LE CERCUEIL

– Tu crois qu'on aurait pu faire quelque chose ? le retenir ?

Je m'enfonce un peu plus profondément au creux de mon lit.

– C'est arrivé tellement vite... Non, sincèrement, je crois qu'on ne pouvait rien faire.

Petit silence méditatif.

Nous sommes restés un bon moment à pleurer, vautrés l'un contre l'autre dans l'appartement de l'homme, avant de penser à libérer nos mains.

Sa chute avait fait du bruit, et on entendait vaguement des cris, des appels, des hurlements.

J'ai téléphoné à Bernard pour lui raconter succinctement ce qui s'était passé et pour lui signaler que ses collègues d'Ivry ou police secours allaient être prévenus d'une défenestration, et qu'ainsi il saurait où nous retrouver.

Ni Altaïr ni moi ne nous sentions capables d'aller demander l'adresse aux voisins.

Bernard a été formidable.

Il s'est radiné tout de suite et nous a ramenés illico à la maison, reportant l'interrogatoire à demain.

Enfin, à tout à l'heure...

Et il s'est aussi débrouillé pour qu'un toubib soigne un peu Altaïr, parce qu'il commençait à sacrément marquer les coups qu'il avait reçus, et...

En pataugeant dans la chaux, l'homme nous avait éclaboussés. Sur le moment, on n'avait même pas fait attention aux brûlures, mais, petit à petit, ça avait commencé à cuire salement.

Après quelques explications à mes parents et à François, complètement paniqués, Altaïr et moi, nous avons finalement atterri dans ma chambre.

J'ai un peu l'impression que tout ça n'était qu'un cauchemar.

– N'empêche...

Je me redresse un tout petit peu pour mieux voir Altaïr.

– Quoi ?

– Je... j'arrive pas à comprendre comment il a pu perdre l'équilibre...

– Il a dû glisser... c'est traître, le carrelage, devait y avoir un peu de flotte...

– Tu... tu ne vas pas te ficher de moi ?...

– Non... Qu'est-ce qu'il y a ?

– Je... tu te souviens, mon cauchemar, la première nuit que j'ai passée ici ?

– Oui... tu n'as pas voulu me dire ce que c'était, mais ça avait l'air horrible.

– Ça l'était. J'étais dans un cercueil et je savais que j'étais vivant et... je pouvais pas en sortir... comme... J'imaginais le coma de Viv' comme ça et... enfin... tous ces jours... c'était un peu comme si j'étais encore dans le cercueil...

– Et tu ne m'en as pas parlé...

– Ben, pour toi aussi c'était dur... Mais ce soir, enfin, quand le type a glissé... à ce moment-là, c'était comme si le cercueil s'était ouvert... je déconne, hein ?

– Non... je comprends ce que tu veux dire.

– Ça ne veut pas dire que je suis content qu'il soit mort... Soulagé, oui, parce que c'est fini maintenant et qu'il ne tuera plus, mais... pas content... Tu... tu crois que c'était vraiment ma faute ? Enfin... si je ne lui avais pas balancé de la farine, il n'aurait jamais assassiné...

– Écoute, Altaïr, tous les gens qui se reçoivent un peu de farine en pleine pomme ne se transforment pas automatiquement en tueurs. Ce n'est pas ta faute.

– Je pourrai jamais en être sûr... pourtant... je crois que si j'étais vraiment coupable, comme il le disait..., il ne serait pas tombé, lui... Je veux dire... j'ai eu l'impression... je pensais tellement à Viv', à ce qu'il lui a fait, à ce qu'il allait nous... enfin, je suis son jumeau...

Altaïr me regarde gravement.

Je crois que je sais ce qu'il va me dire... parce

que, en vérité, moi aussi, j'ai eu une drôle d'impression.

Alors, je prends le relais.

– Tu veux dire que Viv' était près de nous ?

– On délire, hein ? Elle est...

– Je ne sais pas... je crois qu'on ne saura jamais.

– Peut-être... euh... tu sais... ?

– Quoi ?

– Je crois que je n'ai plus peur de rentrer chez moi... je ne pense plus que mes parents vont me détester.

– Mais c'est ce mec qui t'avait fichu cette odieuse idée dans le crâne ! Et tu l'as cru !... Oh ! c'est fini, maintenant tout ça...

J'essaie de ne pas penser au corps inerte de Viviane, à Necker. Altaïr pousse un long soupir.

– C'est pas encore vraiment fini, Rémi... En tout cas, merci.

– Oh ! mais je...

– Du calme. Je voulais juste te dire merci. On dort maintenant.

– O.K... à demain, enfin, à tout à l'heure.

J'éteins la lumière, et j'ai à peine le temps de me dire que je n'arriverai jamais à dormir que je sombre complètement dans un sommeil sans rêves.

***

Et, au matin, Maman, radieuse, vient nous apporter la plus merveilleuse nouvelle du monde.

Viviane est sortie du coma et nous réclame, Altaïr et moi.

Je suis heureux.

TABLE

Dans la collection « albin poche » :

Série Transformers (livre-jeu)

L'île de la peur
Le danger vient des étoiles
La guerre des robosaures
Le choc des robots

Série James Bond (livre-jeu)

Destination danger
Chasse au barracuda
Mort ou vainqueur (à paraître)
Coup mortel (à paraître)

Les Orphelins de l'Espace

Les mercenaires du cosmos
Le monstre de Jarama
Les chevaux de Soulimane
La onzième lune

Romans

- En route pour Zanzibar
- Napoléon Pizza
- Un autre monde (à paraître)

Les aventures de Rémi Gauthier

- La diva et le diamant
- Programme assassin
- La Bombe

Détective express

- Solo pour un mélodica
- Un visage à la fenêtre
- Échecs à la pleine lune
- Le secret de la vieille jonque

Aventures galactiques

- L'arme de nulle part
- L'agent de l'Empire terrien

ACHEVÉ D'IMPRIMER
LE 24 MAI 1988
SUR LES PRESSES DE
L'IMPRIMERIE HÉRISSEY
À ÉVREUX (EURE)

ISSN : 0989-3954
N° d'imprimeur : 45249
N° d'éditeur : 9907
Dépôt légal : Mai 1988